Drummond

A MAGIA LÚCIDA

Marlene de Castro Correia

Drummond

A MAGIA LÚCIDA

Jorge Zahar Editor
Rio de Janeiro

Jorge Zahar Editor Ltda.
rua México 31 sobreloja
20031-144 Rio de Janeiro, RJ
tel.: (21) 2240-0226 / fax: (21) 2262-5123
e-mail: jze@zahar.com.br
site: www.zahar.com.br

Capa: Sérgio Campante
Foto de capa: Carlos Drummond de Andrade em 1972.
Fernando Bueno/Agência Estado

CIP-Brasil. Catalogação-na-fonte
Sindicato Nacional dos Editores de Livros, RJ.

Correia, Marlene de Castro
C848d Drummond: a magia lúcida / Marlene de Castro Correia. — Rio de Janeiro: Jorge Zahar Ed., 2002

Inclui bibliografia
ISBN 85-7110-639-8

1. Andrade, Carlos Drummond de, 1902-1987 – Crítica e interpretação. 2. Poesia brasileira – História e crítica. 3. Poesia – Aspectos sociais. 4. Literatura e sociedade. I. Título.

CDD 869.91
02-0194 CDU 869.0 (81)-1

Estes poetas são meus. De todo o orgulho,
de toda a precisão se incorporaram
ao fatal meu lado esquerdo.

"Consideração do poema"

Falar assim a chinês, a maranhense,
a russo, a negro: ser um só, de todos,
....
há uma cidade em ti, que não sabemos.

"Canto ao homem do povo Charlie Chaplin"

Que confusão de coisas ao crepúsculo!
Que riqueza! sem préstimo, é verdade.
Bom seria captá-las e compô-las
Num todo sábio posto que sensível.

"Versos à boca da noite"

Não renunciar, entre possíveis,
feitos de cimento do impossível.

"Procura"

Do lado esquerdo carrego meus mortos.
Por isso caminho um pouco de banda.

"Cemitérios, IV – De bolso"

À memória de

Alberto, meu pai
Amin Curi
Joaquim, meu irmão
José Carlos Lisboa
M. Cavalcanti Proença

Deus me deu um amor no tempo de madureza

....

Deus me deu um amor porque o mereci.

"Campo de flores"

Para

Manuel

Sumário

ABREVIATURAS DOS LIVROS CITADOS

AP	*Alguma poesia*
B	*Boitempo & A falta que ama*
BA	*Brejo das almas*
CE	*Claro enigma*
F	*Farewell*
FA	*Fazendeiro do ar*
J	*José*
LC	*Lição de coisas*
MA	*Menino antigo*
NP	*Novos poemas*
PM	*A paixão medida*
RP	*A rosa do povo*
SM	*Sentimento do mundo*
VPL	*A vida passada a limpo*

A conquista da palavra poética

PERGUNTAS EM TORNO DA POESIA

É hora de poesia? A poesia tem vez no mundo atual? Essas são perguntas que se propõem os poetas, que delas fazem a própria matéria de sua criação. O debruçar-se angustiado da poesia sobre si mesma, questionando a sua razão de ser e o seu lugar na sociedade, manifesta-se de forma mais sistemática a partir do Romantismo. E no decorrer do século XX torna-se cada vez mais constante e flagrante.

Quanto mais conscientes e lúcidos os poetas, mais aguda a inquietação sobre o seu ofício. É o caso de Carlos Drummond de Andrade, que ao longo de sua obra reiteradas vezes se indaga sobre a situação da poesia no contexto contemporâneo. Já em *Alguma poesia*, seu livro de estréia, publicado em 1930, em poema significativamente intitulado "O sobrevivente", ele problematiza a questão da possibilidade-impossibilidade da poesia no novo período histórico-cultural demarcado pela Primeira Guerra Mundial: "O último trovador morreu em 1914. / Tinha um nome de que ninguém se lembra mais." Em poemas diversos, denuncia a surdez burguesa ao canto do poeta ("Nota social", AP), ouve na sociedade de consumo as trombetas do juízo final da poesia, substituída por "versos" de propaganda ("Brinde no Juízo Final", SM), e considera a sua época, de deslumbramento com a tecnologia e suas máquinas exatas, insensível ao poeta, na medida em que este se move no território da dúvida e da ambigüidade: "Esses monstros atuais, não os cativa Orfeu, / a vagar, taciturno, entre o talvez e o se." ("Legado", CE)

Drummond defronta-se com uma estrutura econômica e sociopolítica que lhe parece pouco propícia à poesia: sente-se deslocado no sistema capitalista direcionado para o lucro ("O esplêndido negócio insinua-se no tráfego. / [...] toma conta de tua alma e dela extrai uma porcentagem." – "Nosso tempo", RP); mostra-se cético quanto à importância da poesia, atividade primordialmente lúdica e gratuita, na sociedade burguesa, regida por valores utilitaristas. Solitário, sofre a nostalgia de primitivas eras, quando a poesia, então cantada e dançada, integrava-se na comunidade e no cosmo:

> A dança já não soa,
> a música deixou de ser palavra,
> o cântico se alongou do movimento.
> Orfeu, dividido, anda à procura
> dessa unidade áurea, que perdemos.
> ("Canto órfico", FA)

O desenvolvimento dos meios de informação, a progressiva divisão e especialização do trabalho, o crescimento da comunicação de massa parecem invalidar para os poetas contemporâneos a resposta dos antigos quanto à finalidade da poesia: ensinar e deleitar.

"O tempo pobre, o poeta pobre / fundem-se no mesmo impasse" ("A flor e a náusea", RP): para que serve a poesia?

A pergunta e a resposta nem sempre aparecem explicitamente formuladas. A pergunta está necessariamente implícita nas reflexões de Drummond sobre a situação do poeta na sociedade contemporânea; a resposta descobre-se nos diversos empregos de sua palavra poética:

> decifro o choro pânico do mundo,
> que se entrelaça no meu próprio choro
> e compomos os dois um vasto coro.
> ("Relógio do Rosário", CE)

Não se leia nesses versos a concepção romântica do poeta como ser de exceção, intérprete do Verbo Superior, possuído pela divina fúria, e assinalado pelos deuses para cumprir uma tarefa messiânica. Documentam eles, mas sem as implicações românticas, uma atitude dionisíaca: a diluição do eu no todo:

> serei, no circo, o palhaço,
> serei médico, faca de pão, remédio, toalha,
> serei bonde, barco, loja de calçados, igreja, enxovia,
> serei as coisas mais ordinárias e humanas, e também
> [as excepcionais
> ("Idade madura", RP)

e a projeção, no todo, do eu:

> Oh dor individual, afrodisíaco
> selo gravado em plano dionisíaco
> ("Relógio do Rosário", CE)

Serve assim a poesia para dar expressão artisticamente convincente a idéias, sensações e sentimentos enquanto virtualidades do Homem — nas quais todos "se reconheçam" (cf. "Canção amiga", NP). De vivências individuais, o poeta decanta os signos da própria condição humana.

Isso não implica, porém, a redução da poesia às emoções que todos possam sentir (cf. "No jardim de Casimiro" in *Confissões de Minas*). A arte, essencialmente dialética, não se esgota no dionisíaco. Com este convive o apolíneo, que mantém a sua individualidade, sem fundir-se e confundir-se com o todo. Se é a "terra, palavra espacial" ("Origem", LC), o mundo será uma mensagem a ser decifrada. E se a apreensão do mundo se realiza pela linguagem, o poeta — como operador que é da linguagem — maneja a poesia como instrumento de uma percepção mais aguda do real e como matriz instauradora de "uma ordem nova" ou "uma nova desordem" ("A Luís Maurício, infante", FA):

> Eu preparo uma canção
> que faça acordar os homens
> ("Canção amiga", NP)

O discurso irônico de "Anúncio da rosa" (RP) proclama a liquidação do esteticismo, que historicamente encontrou sua cristalização no Parnasianismo. Drummond critica-lhe o descompromisso com o tempo presente e a realidade circundante, e desmitifica-lhe o programa de arte pela arte, de aristocrática gratuidade: a alienação do contexto político-social e a atração por palavras raras ("aurilavrada", "filaucioso", "mercancia") tornam essa arte pela arte um produto mais facilmente colocável no mercado burguês. Os versos mais curtos, moldados na linguagem da propaganda ("*Vede* o caule, / traço indeciso; [...] *Vinde, vinde,* / *olhai* o cálice; [...] *Aproveitem.* A última / rosa desfolha-se") enfatizam a contradição fundamental da arte pela arte.

Em oposição ao exotismo espacial e temporal do Parnasianismo, "Mãos dadas" (SM) propõe a imersão da poesia no aqui e no agora. Servindo na luta contra o nazi-fascismo, reivindicando justiça social e identificando-se com as aspirações populares ("o povo, meu poema, te atravessa" – "Consideração do poema", RP), a poesia equaciona-se como ação sobre o real: com "suas palavras, intuições, símbolos" se engaja na destruição do "mundo caduco".

Às perguntas sobre a vez do poeta em nossa hora e sobre a serventia do seu canto, alia-se a interrogação: "Que é poesia...?" ("Conclusão", FA)

Em "Procura da poesia" (RP), a certeza sobre o que *não* é poesia:

> A poesia (não tires poesia das coisas)
> elide sujeito e objeto.

Drummond rompe com a tradição romântica, que hipertrofiava a função emotiva da linguagem, centrada no eu do emissor, e repudia a posição clássica, que supervalorizava a função referencial, dirigida para o objeto de que se fala. Não é portanto na emoção do poeta que reside a poesia; tampouco no assunto da mensagem.

"Procura da poesia" segue um procedimento padrão das artes poéticas: dirige-se a um *tu* ambíguo, que engloba o autor em diálogo consigo mesmo, e um segundo destinatário — simulação de algum "jovem poeta" — a quem o poema aconselha. Drummond introduz, porém, uma novidade: referindo-se a temas recorrentes em sua própria obra, ordena ao *tu* que se abstenha de fazer versos sobre eles. O aparente paradoxo causa um efeito de choque no leitor, prevenindo ou corrigindo um possível equívoco quanto às concepções poéticas do autor, então empenhado em investir a poesia de função ideológica.

No segundo momento de "Procura da poesia", Drummond afirma que o poético se situa no nível da linguagem:

> Penetra surdamente no reino das palavras.
> Lá estão os poemas que esperam ser escritos.
> Estão paralisados, mas não há desespero,
> há calma e frescura na superfície intata.
> Ei-los sós e mudos, em estado de dicionário.
> ....
> Chega mais perto e contempla as palavras.
> Cada uma
> tem mil faces secretas sob a face neutra
> e te pergunta, sem interesse pela resposta,
> pobre ou terrível que lhe deres:
> Trouxeste a chave?

Conclusão: dar voz à experiência potencial de todos, transcender o indivíduo, dele filtrando e nele injetando o universo, criar uma percepção inaugural da realidade, atuar sobre a História são condições necessárias, porém não suficientes, para fazer-se poesia.

Fazer poesia consiste em "lutar com palavras" ("O lutador", J), em manejá-las de forma específica, atualizando suas virtualidades expressivas, combinando-as com tal eficácia que elas adquirem plenitude de significação. Poesia define-se, portanto, como operação combinatória de palavras e configuração de uma forma.

Em conseqüência, o compromisso primeiro do poeta é o enriquecimento expressivo da língua — "Aprendi novas palavras / e tornei outras mais belas" ("Canção amiga", NP) — e nele se preenche a função social da poesia.

A Valorização da Palavra

Problemas que se propõe e resolve a poesia de Drummond:

- como obter, na economia poética, o máximo de rendimento expressivo com o mínimo de palavras:

> e a poesia mais rica
> é um sinal de menos.
> ("Poema-orelha", VPL)

- como comover sem escorregar no sentimentalismo:

> cantor sem piedade, sim, sem frágeis lágrimas
> ("Consideração do poema", RP)

- como convencer sem apelar para a grandiloqüência:

> [...] Eis aí meu canto.
> Ele é tão baixo que sequer o escuta
> ouvido rente ao chão. Mas é tão alto
> que as pedras o absorvem. [...]
> ("Consideração do poema", RP)

Como revitalizar o velho. Como dizer o novo. Como atingir a plenitude de significação.

Essas perguntas encontram sua resposta no programa: concentrar a linguagem e valorizar a palavra. (Múltiplos recursos concorrem para executá-lo. Enfocaremos somente alguns — aqueles que nos parecem resumir um comportamento diante da palavra e uma concepção do seu uso em poesia. Fique a ressalva: eles não explicam *tudo*. Menos do que análise, são indicações; e sobretudo treino para a percepção da linguagem poética. E que a necessidade de isolar os elementos não crie equívocos: o sucesso do projeto depende da cooperação entre eles e entre eles e outros.)

Inicialmente há que se enfrentar o desgaste das palavras:

Ó palavras desmoralizadas, entretanto salvas, ditas
[de novo.
("Canto ao homem do povo Charlie Chaplin", RP)

Estratégia: deter a percepção no signo lingüístico, evitando o seu consumo automático. Duas táticas: o jogo com o significante (imagem acústica, componente sensível do signo); o jogo com o significado (conceito, componente nocional do signo). Significante e significado sendo indissociáveis — a exemplo das duas faces de uma folha de papel —, ambas as táticas conduzem ao objetivo do poeta: uma percepção nova da palavra, que lhe reinstaura a densidade semântica.

A "desmoralizada" palavra *conviver* é "salva" repetidas vezes:

Viver-não, viver-sem, como viver
sem conviver, na praça de convites?
("Mineração do outro", LC)

Drummond presentifica o processo de formação de *conviver*: a composição prefixal. As variações em torno do signo *viver*; a composição de um neologismo antônimo *viver-sem*; o jogo fônico e semântico *como viver-conviver*; a relação *conviver-convites*, todos esses recursos combinados devolvem ao prefixo *com-* a sua significação, esquecida no uso social automático de *conviver*, que recupera assim a sua integridade semântica.

Ao acabarem todos
só resta ao homem
....
colonizar
civilizar
humanizar
o homem
descobrindo em suas próprias inexploradas entranhas
a perene, insuspeitada alegria
de conviver.
("O homem; as viagens", *Seleta em prosa e verso*)

Na leitura dos dois versos finais, o enjambement (a sintaxe e o sentido de uma frase são interrompidos no final de um verso e vão completar-se no verso seguinte) impõe um acento rítmico secundário na primeira sílaba do verbo *conviver*, ressaltando-lhe o morfema prefixal *com-*.

> Perguntei-lhe em seguida
> o segredo de nosso
> convívio sem contato
> ("Perguntas", CE)

Como nos exemplos anteriores, Drummond corrige o desgaste do signo por meio de um artifício que detém a atenção no significante. Em "Mineração do outro", o poeta colocava em evidência a identidade de radicais e a diferença de morfemas; agora patenteia a identidade de morfemas (o prefixo *com-*) e a diferença de radicais. Dessa forma, reinstala a precisão semântica de *convívio*, que na prática cotidiana da língua é empregada indiferencialmente em lugar de *contato*.

(A exemplificação didática desses processos, extraindo os versos do seu contexto, fragmentando portanto o todo do poema, obriga-nos a um esclarecimento: Drummond não os manipula como mero ludismo com as palavras; e tampouco se trata de minúcias inconseqüentes no conjunto da mensagem. Os signos lingüísticos revalorizados constituem palavras-chave do texto, a sua revalorização se integra na construção do poema como um todo orgânico e se relaciona com a sua significação global.)

No manejo de homônimos, outra técnica de valorização da palavra:

> é tudo implorar ao padre
> que não leve outras meninas
> para seu negro destino
> ou que as leve tão de leve
> que ninguém lhes sinta a falta
> ("O padre, a moça", LC)

Orfeu, dá-nos teu número
de ouro, entre aparências
que vão do vão granito à linfa irônica.
("Canto órfico", FA)

Embora no resultado final ambos os termos sejam postos em relevo, parece haver uma certa hierarquia entre eles, um sendo utilizado como instrumento para privilegiar o outro, que interessa ao poeta destacar mais particularmente. No primeiro exemplo é a forma verbal *leve*, de significação complexa, com conotações específicas; no segundo o adjetivo *vão*, que assim realçado intensifica o efeito da antítese *vão granito*.

Como processo recorrente na poesia de Drummond, o acentuado jogo com a camada fônica das palavras:

Melancolias, mercadorias espreitam-me.
("A flor e a náusea", RP)

Viste as diferentes cores dos homens,
as diferentes dores dos homens
("Mundo grande", SM)

A percepção do fato lingüístico em presença — estrato fônico semelhante, estrato semântico diferente — confere densidade de significado às palavras em jogo, porque o receptor, como no caso dos homônimos, tem sua atenção orientada para as semelhanças e diferenças entre elas, concentrando-se na significação de cada palavra. O jogo fônico funciona portanto como recurso de ênfase semântica.

Em alguns casos, além desse enriquecimento — decorrência natural do processo — registra-se um outro enriquecimento na significação: o poeta cria entre as palavras relações semânticas individuais, não codificadas "em estado de dicionário". Entre *melancolias, mercadorias* Drummond estabelece uma relação de sinonímia: *melancolia* = *mercadoria*. O jogo com os dois vocábulos produz um novo sentido, que aponta para a coisificação do homem e seus sentimentos na estrutura econômico-social representada no poema. É sugerida ainda uma relação de causa-efeito entre os dois termos: *mercadoria*, símbolo da sociedade de consumo enfocada no texto, como causa de *melancolia*.

Esses exemplos documentam duas características do discurso poético: a síntese e o caráter cifrado dela resultante (cf. "Poema-orelha": "e a poesia mais rica / é um sinal de menos", e "A flor e a náusea": "Sob a pele das palavras há cifras e códigos").

Não se imagine que esses recursos só se tornam expressivos quando submetidos a análise, como ora realizamos. A poesia não é uma linguagem lógica ("em verde, sozinha, / antieuclidiana, / uma orquídea forma-se." – "Áporo", RP). Não é, e não deve ser, apreendida por vias exclusivamente ou predominantemente racionais. A expressividade, por não ser conscientemente percebida, não deixa de atuar sobre o leitor/ouvinte, que pode senti-la e captá-la de forma não-consciente. Mas para isso faz-se necessário um estado de receptividade ao texto. Mais ainda: a poesia, como toda linguagem específica (cf. a linguagem matemática) e como toda linguagem mágica (cf. fórmulas ritualísticas), requer um mínimo de iniciação para ser mais intensamente fruída.

> Que fazer do relógio
> ....
> Ele marcava mar-
> cava cava cava
> e eis-nos sós marcados
> de todos os falhados
> amores recolhidos
>
> ("A um hotel em demolição", VPL)

Nesses versos Drummond se vale de outra técnica para, de forma econômica, intensificar semanticamente o discurso poético. A partição da forma verbal *marcava* (enjambement dentro do vocábulo) desdobra-a em dois novos signos — *mar* e *cavar* — que transmitem ao *marcava* do relógio as conotações de morte e erosão, e compõem um feixe de metáforas sobre o incessante fluir do tempo.

Outro fator de valorização da palavra reside no seu emprego polissêmico. Em "Decifro o choro pânico do mundo" ("Relógio do Rosário", CE), o poeta remete à etimologia de *pânico*: o termo grego *pan*, que significa *tudo*; sob esse nome os gregos adoravam o deus dos campos, da natureza. *Choro pânico* concentra várias significações: choro "de tudo e de todos", choro do cosmo, choro que inspira terror.

Na palavra *confidência* do título "Confidência do itabirano" (SM) convivem duas noções: a de comunicação de um segredo e a de fidelidade (cf. *In*confidência mineira).

No verso de abertura de "A mesa" (CE), *festa* sintetiza dois conceitos, o de comemoração e o de gesto de carinho: "E não gostavas de festa... / Ó velho, que festa grande / hoje te faria a gente." A percepção do pai como homem capaz de ternura, porém pouco dado a expansões de afeto, é desenvolvida ao longo do poema e reafirma o retrato paterno exposto em "Como um presente" (RP): "Guardavas talvez o amor / em tripla cerca de espinhos".

> Sobre o tempo, sobre a taipa,
> a chuva escorre. As paredes
> que viram morrer os homens,
> que viram fugir o ouro,
> que viram finar-se o reino,
> que viram, reviram, viram,
> já não vêem. Também morrem.
> ("Morte das casas de Ouro Preto", CE)

No verso "que *viram, reviram, viram,*" Drummond explora a coincidência morfológica entre o passado dos verbos *ver* e *rever* e o presente dos verbos *virar* e *revirar*. Resultado expressivo desse procedimento: a linguagem poética ganha em condensação e o desmoronamento das casas da cidade e das grandezas do passado é verbalizado com ênfase mas sem grandiloqüência.

Recurso análogo ocorre em "Amar-amaro":

> e se queimou
> todo por dentro por fora nos cantos nos ecos
> lúgubres de você mesm(o,a)
> ("Amar-amaro", LC)

Em *cantos* coexistem duas palavras: lugar oculto e canções.

"As palavras não nascem amarradas" ("Consideração do poema", RP)

Quanto mais previsíveis as combinações de palavras, menor taxa de informação na mensagem; quanto menos previsíveis, maior taxa de informação. Combinações usuais já nada comunicam, viram hábitos, são automaticamente recebidas, tornam-se lugares-comuns da linguagem.

Combinações novas contribuem para a densidade semântica da poesia de Drummond. Causam um efeito de surpresa no leitor, que se detém nessa maneira inédita de dizer. E detendo-se na mensagem, percebe a riqueza de significado das palavras e saboreia a novidade. Várias de suas combinações sintagmáticas deixam perceber um padrão subjacente que o poeta violenta para transformar o velho em novo:

> me desata seu queixume
> abrindo-me sua palma?
> ("A mesa", CE)

Drummond rejeita a combinação já clicherizada *abrir a alma*. A forma nova evoca a antiga, denuncia-lhe o desgaste, e se propõe implicitamente a um leitor receptivo como programa de renovação sintagmática. (Na substituição pode-se supor a interferência do ditado "sua alma, sua palma".) A combinação substituinte é polissêmica, pois incorpora o conceito da substituída (mas alterando-lhe a forma morta), e estimula associações próprias: o "queixume" do "mano", sua vida e destino escritos na palma da mão, confiantemente ofertada à leitura, fraternalmente à espera de outra mão solidária.

> Aqui se esgota o orvalho,
> e de lembrar não há lembrança. Entrelaçados,
> insistíamos em ser; mas nosso espectro,
> submarino, à flor do tempo ia apontando,
> e já noturnos, rotos, desossados,
> nosso abraço doía
> para além da matéria esparsa em números.
> ("Escada", FA)

Em *à flor do tempo* percebe-se o modelo rompido: *à flor da água*, combinação já estratificada (cf.: *submarino*). O cotejo entre uma e outra forma esboça a equação metafórica água-tempo, que se desenhará com mais nitidez na posterior relação *submarino-noturnos*. No contexto dos versos e do poema cabe falar-se também do molde *à flor da pele*.

Drummond remete ao velho para usá-lo como instrumento do novo: aproveita-lhe elementos semânticos, que penetram por via associativa em sua combinação inédita, o jogo com o codificado revertendo em enriquecimento da mensagem, que diz implicitamente algo que não é explicitado; propicia com a associação um confronto entre duas formas de dizer, uma desgastada, que ele repudia e desestrutura, e outra vigorosa, que entra por um ouvido mas *não* sai pelo outro.

O processo desestruturação-estruturação implica uma concepção da língua como categoria dinâmica, que deve continuamente renovar-se para não se esclerosar. E nessa operação, a frase-feita *navegar em mar de rosas*, terra de ninguém na linguagem, transfigura-se em "*deslizar de lancha entre camélias*", personalíssimo. ("Consideração do poema", RP)

(Obviamente a valorização da palavra na poesia de Drummond não se esgota nos recursos apontados neste trabalho. Como ficou dito antes, selecionamos exemplos que documentassem didaticamente *não* a retórica, mas *sim* a diretriz de um comportamento, de uma atitude global diante da palavra. Escolhemos a presentificação da morfologia do signo, o jogo com homônimos e estruturas fônicas semelhantes, o desdobramento de um signo em outros, a polissemia e o ineditismo das combinações sintagmáticas, como concretizações mais facilmente resumíveis da estratégia e das táticas do combate ao desgaste das palavras — mais facilmente cabíveis, portanto, dentro dos limites impostos pela natureza e objetivo desta abordagem, que não poderia deter-se na análise da variada retórica e da complexa estrutura rítmica da poesia de Drummond. O caráter didático da exposição obriga-nos, porém, a repetir um esclarecimento: a valorização da palavra se obtém pela cooperação entre inúmeras concretizações da estratégia e das táticas: o desenho melódico do verso, a rima, a repetição, a antítese, o paralelismo, a rica retórica de Drummond, enfim.)

Imagística: Invenção e Revitalização

Novidade e tradição convivem na imagística de Drummond, organizando um discurso poético original mas aberto à comunicação. Toda mensagem, se enriquece a palavra somente de conotações individuais, sofre o risco de cair no hermetismo e tornar-se inacessível; por outro lado, se recorre somente a conotações coletivas, socialmente codificadas, repete o já dito, reduzindo a zero sua informação. Na dialética pessoal/coletivo, inédito/conhecido, reside a possibilidade de comunicar inovando.

A novidade implica o descondicionamento do leitor, pois o poeta liberta a palavra de suas associações usuais, já incorporadas ao repertório de todos. Se a sensibilidade lingüística coletiva está condicionada a atribuir à palavra *jardim* conotações agradáveis, Drummond rompe com esse condicionamento, desconota a palavra das associações estabelecidas, conota-a por seu código individual, causando um impacto no leitor com a originalidade da imagem:

os jardins da gripe,
os bondes do tédio,
as lojas do pranto.
("Nos áureos tempos", RP)

Fenômeno semelhante ocorre com os termos *bonde* e *loja*. Esses três versos "inauguram" uma forma de dizer; o jogo concreto/abstrato e o paralelismo morfossintático contribuem para valorizar ainda mais o que por si já é valioso: as imagens surpreendentes.

A tradição romântica, particularmente a poesia condoreira, fixou a conotação de *asas* — liberdade, audácia, bravura — e estruturou poeticamente sua ideologia libertária em torno de algumas imagens nucleares: aves de rapina (águia, condor), luz, astros, ascensão, montanha etc. Em "O medo" (RP) Drummond desestrutura o código romântico, convertendo-o em seu oposto:

E com asas de prudência,
com resplendores covardes,
atingiremos o cimo
de nossa cauta subida.

O episódio bíblico de Adão e Eva e a iconografia religiosa, com a representação de Nossa Senhora esmagando a serpente, símbolo de pecado e tentação, impuseram enfaticamente à imaginação popular e à tradição literária culta a série analógica serpente-pecado-corpo, desfeita em "Pacto" (VPL) pela inversão de seus termos:

E o que ele aprendeu do corpo
sem alma, porque toda a alma,
como uma víbora calma,
coleia na pele do rosto?

Mas para a elaboração de um código pessoal nem sempre faz-se necessário remeter a um código literário e artístico preexistente, desconotar-lhe os elementos e com eles forjar novas equações metafóricas. É no próprio "reino das palavras" que Drummond instala a fábrica de associações, a sua faculdade imaginativa transformando a matéria-prima das palavras "em estado de dicionário" — "sós e mudas" — em tessitura de imagens insólitas.

Ora é a justaposição de termos hierarquizados pela tradição lírica em poéticos-prosaicos e mais o deslocamento de um objeto do seu contexto habitual (*galinhas*) para outro contexto (*mar*), fundindo-se dois espaços diferentes no discurso imagístico, caixa de surpresa:

> Pequenos pontos brancos movem-se no mar, galinhas
> [em pânico.
> ("A flor e a náusea", RP)

Ora é a materialização do imaterial, omitindo o poeta os nexos entre os dois termos, as elipses criando lacunas a serem preenchidas pelo leitor: "a borra dos séculos" ("Passagem do ano", RP); "o sabão da calma" ("Assalto"; RP).

Freqüentemente, como já se viu e se disse, a originalidade resulta da cooperação entre vários recursos. A extrema concreção do abstrato e a justaposição de duas realidades culturais remotas produzem o símile de grande e nova beleza:

> Como esses primitivos que carregam por toda a parte
> [o maxilar inferior de seus mortos,
> assim te levo comigo, tarde de maio
> ("Tarde de maio", CE)

A operação com a linguagem pode ser mais complexa ainda, abrangendo vários lances, como em "Pranto geral dos índios" (VPL):

> Não nos deixaste sós quando te foste
> Ficou a lembrança, rã pulando n'água
> do rio da Dúvida: voltarias?

Nesses versos, Drummond concretiza abstrações (*lembrança-rã*); devolve pertinência semântica ao topônimo *rio da Dúvida*; configura tacitamente outra imagem, identificando o fluxo psíquico e suas vivências ao fluxo das águas e seus elementos. A proliferação das imagens e seu ineditismo estruturam assim um inventivo discurso metafórico.

A superposição de dois tempos (infância e madureza) e de dois espaços (rural e urbano), o enlace concreto-abstrato e, sobretudo, a assimilação do existencial ao circunstancial, do essencial ao acidental — assimilação que rompe com os mecanismos mentais convencionais — instauram o singular símile:

> Lá onde não chegou minha ironia,
> entre ídolos de rosto carregado,
> ficaste, explicação de minha vida,
> como os objetos perdidos na rua.
> ("Versos à boca da noite", RP)

Nenhum poeta, no entanto, irrompe do nada, é um anel perdido no espaço e no tempo. Ao contrário, é um momento de um processo, vincula-se ao passado e projeta-se no futuro, representando nesse duplo movimento a dinâmica da criação. Atualiza o antes no hoje que se abre ao amanhã, incorpora e revitaliza a tradição, e constrói o novo a ser legado, garantindo dessa forma a continuidade da literatura.

Comparecem na obra de Drummond símbolos e imagens recorrentes na literatura ocidental. No relato bíblico do dilúvio fundamenta-se o significado simbólico de *água* como destruição do mundo e regressão ao caos, enfim, como mito escatológico-cosmogônico:

> Fecha os olhos e esquece.
> Escuta a água nos vidros,
> tão calma. Não anuncia nada.
> Entretanto escorre nas mãos,
> tão calma! vai inundando tudo...

Renascerão as cidades submersas?
Os homens submersos – voltarão?
("Mundo grande", SM)

Na *água* como representação do fluxo do tempo, outra sobrevivência da simbologia tradicional (cf. "Sabará", AP). Na maioria das vezes em que recorre a esse símbolo, Drummond o revitaliza: substitui os signos lingüísticos *rio*, *fonte* e cognatos — que o concretizavam na tradição — pelo signo *chuva* que, referindo-se ao espaço urbano e à realidade imediata, demonstra a tendência, tão peculiar ao poeta, de atribuir dimensão simbólica a circunstâncias do cotidiano:

A chuva pingando
desenterrou meu pai.
Nunca o imaginara
assim sepultado
ao peso dos bondes
em rua de asfalto
("Rua da madrugada", RP)

Em "A um hotel em demolição" (VPL), o empréstimo à tradição reverte em lucro expressivo, pela novidade da metáfora, que reativa a velha correlação água-tempo, por reescrevê-la com signos tidos como prosaicos e vulgares: "Ele reza ele morre e solitária / uma torneira / pinga / e o chuveiro / chuvilha".

Uma metáfora se desgasta na medida em que, pela repetição excessiva, deixa de ser sentida como metáfora, isto é, como translação de sentido. (Por exemplo: na metáfora *cabelos de ouro*, se não se evoca o signo *ouro* e não se percebe sua transferência de significação, *de ouro* é recebido apenas como sinônimo de louro, transformando-se em uma metáfora lexicalizada, ou seja, incorporada ao léxico da língua e, como tal, dicionarizada — ou passível de dicionarização.) Para que uma metáfora continue a funcionar como tal, faz-se necessário ter presente o sentido literal da palavra que a estrutura, e perceber que ela está empregada em sentido translato.

As conotações negativas da palavra *noite* — angústia, opressão, morte, solidão, guerra, sofrimento — ressurgem constantemente na poesia drummondiana.

Para assegurar a esse signo a condição de imagem, Drummond agençia sua carga conotativa ao lado da carga denotativa. A justaposição dos dois sentidos — literal e translato — garante o efeito poético do discurso:

> Voltava a noite, mais noite, mais completa.
> ("Mas viveremos", RP)

> esse amanhecer
> mais noite que a noite.
> ("Sentimento do mundo", SM)

São inúmeros os exemplos desse agenciamento. Ao próprio Drummond aplica-se o verso: "Ó Goeldi: pesquisador da noite moral sob a noite física". ("A Goeldi", VPL)

Manejo semelhante aparece na metáfora, também tradicional, *amor-fogo*, valendo-se o poeta de algum recurso que, evocando o sentido denotativo da palavra, supere o desgaste da correspondência, devolvendo-lhe o valor de figura enfática.

Em várias passagens da poesia de Drummond constata-se o processo de reativação das imagens. Um registro: o velho e gasto "manto da noite" rejuvenesce na invulgar imagem *pregas do sono* ("Agora dormes / um dormir tão sereno que dormimos / nas pregas de teu sono – "Pranto geral dos índios", VPL).

A Dialética Expansão-Retração

> "ó poeta de uma poesia que se furta e se expande"
> ("Os bens e o sangue", CE)

"Confidência do itabirano" (SM) exemplifica a dialética furtar-se-expandir-se característica da poesia de Drummond: o poeta faz uma "confidência", mas freia sua emoção, evitando todo excesso sentimental e qualquer acento grandiloqüente.

O conflito entre os dois movimentos se projeta e concretiza na estruturação do poema, manifestando-se em vários níveis.

CONFIDÊNCIA DO ITABIRANO

Alguns anos vivi em Itabira.
Principalmente nasci em Itabira.
Por isso sou triste, orgulhoso: de ferro.
Noventa por cento de ferro nas calçadas.
Oitenta por cento de ferro nas almas.
E esse alheamento do que na vida é porosidade e
[comunicação.

A vontade de amar, que me paralisa o trabalho,
vem de Itabira, de suas noites brancas, sem mulheres e
[sem horizontes.
E o hábito de sofrer, que tanto me diverte,
é doce herança itabirana.

De Itabira trouxe prendas diversas que ora te ofereço:
este São Benedito do velho santeiro Alfredo Duval;
este couro de anta, estendido no sofá da sala de visitas;
este orgulho, esta cabeça baixa...

Tive ouro, tive gado, tive fazendas.
Hoje sou funcionário público.
Itabira é apenas uma fotografia na parede.
Mas como dói!

Drummond organiza a sua "confidência" como um *relatório*: faz uma relação, uma lista, dos elementos que compõem a sua herança itabirana. O discurso enumerativo representa a seleção de uma forma impessoal e seca para um conteúdo subjetivo e emocional. Locuções do vocabulário estatístico reiteram a escolha de um modelo de linguagem objetiva e precisa. Nesse relatório, a síntese:

economia de palavras, escassez de adjetivos, várias frases curtas. O emprego de estruturas sintáticas semelhantes (v. 1-2; 4-5; 7, 9, 11) funciona como recurso para disciplinar a emoção, fazendo-a caber em esquemas paralelos, a fim de evitar qualquer transbordamento. A pontuação de caráter lógico, o uso de sinais mais conotados com a prosa (dois pontos, ponto e vírgula) valem como índice do controle sobre a emotividade.

O movimento oposto — o de expansão — registra-se sobretudo na repetição de palavras. *Itabira* aparece cinco vezes na "confidência", além de estar compreendida no termo *itabirano*. A repetição confere ao nome próprio especial relevo no texto, valorizando sentimentalmente a terra natal, e sugerindo sua permanência obsessiva na memória do eu lírico.

Com a repetição de *este*, Drummond enfatiza a proximidade física e/ou afetiva dos objetos trazidos de Itabira, que assim se define como presença viva. No verso 13 seria mais lógico o emprego de *aquele*, visto que o contexto deixa subentender que o "couro de anta" não está localizado espacialmente muito perto do falante. No caso, o uso de *este* é essencialmente afetivo, assinalando uma proximidade subjetiva do objeto.

A repetição da forma verbal *tive* intensifica a contraposição passado *versus* presente, realçando a perda dos bens e a frustração dela decorrente.

Emoção contida não se confunde com ausência de emoção. Ao contrário, reprimida ganha maior densidade, porque deixa adivinhar o choque entre duas forças e a cada momento em que irrompe comunica sua violência irrepresável: "Mas como dói!"

A tensão entre essas duas forças — o furtar-se e o expandir-se —, o conflito entre a tendência à desordem passional e a tendência à ordem intelectual que a refreie contagiam a poesia de Drummond de inconfundível dramaticidade.

Em princípio, a dialética ordem-desordem caracteriza a arte como categoria. No equilíbrio ou desequilíbrio das forças, no maior ou menor ímpeto do embate, na dinâmica dos lances do jogo é que reside a fisionomia própria de sistemas poéticos pessoais. O de Drummond se particulariza pelo re-pensamento das paixões, pelo re-sentimento das idéias, pela calculada fúria do arremesso.

Presença ao longo de toda a obra do poeta, o humor configura o controle sobre a emoção. Em "Poema de sete faces" (AP), depois do *pathos* da 5ª estrofe —

> Meu Deus, por que me abandonaste
> se sabias que eu não era Deus
> se sabias que eu era fraco.

— que faz uso do discurso alusivo (discurso que remete a outro discurso, no caso, a uma das sete frases de Cristo na cruz: Pai, por que me abandonaste?), Drummond dá uma "cambalhota" humorística:

> Mundo mundo vasto mundo,
> se eu me chamasse Raimundo
> seria uma rima, não seria uma solução.

"Consolo na praia" (RP) equaciona o humor como defesa contra o sofrimento, coincidindo essa constatação empírica com a análise empreendida por Freud, que o define como afirmação vitoriosa do eu, que se recusa a deixar-se abater pelos traumatismos do mundo.

Como categoria do discurso, o humor representa a fuga ou a correção do patético e do confessionalismo exacerbadamente emocional, implicando a atitude de distanciamento do falante em relação ao objeto de que fala, negando-se a deixar-se envolver afetivamente por ele.

O humor possibilita a expressão de conteúdos trágicos em uma linguagem ambígua, tragicômica; na dialética retração-expansão, insere-se no movimento de retração.

Drummond e o Processo Poético Brasileiro

Quando situada no processo da poesia brasileira, a obra de Drummond garante a continuidade de alguns dos temas mais presentes na tradição lírica: o amor, a família, a terra natal. No tratamento dos temas, porém, ela representa a ruptura com a tradição.

A poesia amorosa anterior ao Modernismo identifica-se em geral com a exaltação da amada e da paixão do amante, ou com a lamentação de amores perdidos ou frustrados. Suscitados ou não por vivências pessoais, os poemas obedeciam a um princípio expressional: deviam apresentar-se ao leitor como recriação de experiências de vida. O eu lírico celebrava ou verberava uma mulher. Poesia de musa, portanto. Não importa se no plano do real existia ou não uma inspiradora; interessa que no plano da expressão registrava-se uma presença feminina como fonte imediata do texto. O tema recebia um tratamento predominantemente narrativo, que fazia da lírica amorosa uma poesia do caso, do acontecimento. "Minha vida e meus amores", título de um poema de Gonçalves Dias, sintetiza o desenvolvimento romântico do tema do amor como crônica sentimental, em que um eu poemático (a primeira pessoa do discurso do poema, não necessariamente o eu do poeta) relata experiências, fatos e episódios.

Como possibilidades de fuga do enfoque narrativo, a tradição apresentava, até 1922, as seguintes perspectivas diante do tema: a exaltação da beleza física ou espiritual da amada; o desabafo dos anseios amorosos do eu; a descrição dos efeitos da paixão.

Essas eram as linhas dominantes do lirismo amoroso, pontilhado aqui e ali de conceituações, na maioria tópicos literários do tempo, que não demonstram maior aprofundamento na problemática amorosa. Só esporadicamente se encontra a discussão em termos genéricos e abstratos sobre o amor.

O tratamento narrativo, a poesia do acontecimento e da musa, atenuam-se mas continuam no próprio Modernismo. Se aparecem com mais freqüência as especulações sobre o amor, configurando um enfoque filosófico, predomina ainda a prática da poesia amorosa como relato ou expansão esteticamente organizada de experiências e aspirações do eu lírico.

Os versos de Drummond — "Não cantarei amores que não tenho, / e, quando tive, nunca celebrei" ("Nudez", VPL) — resumem a ruptura com o tratamento tradicional. A sua poesia ou omite ou transcende a circunstância apresentada como situação poemática.

A fuga ou superação do circunstancial se processa quer pela expressão das reações do eu diante de um complexo cultural definido, quer pela expressão da problemática existencial do eu, que não decorre das condições históricas que o envolvem, apresentando-se como imanente ao "estar-no-mundo".

Vários poemas expressam o conflito do eu lírico com a ética amorosa da civilização em que se inscreve. Neles geralmente o poeta assume um discurso humorístico ("Desdobramento de Adalgisa", "Sombra das moças em flor", "Um homem e seu carnaval", BA; "Indecisão do Méier", SM; "Sweet home", AP; "O mito", RP etc.). A "consciência do tempo" e a sua transformação em matéria literária — que Drummond, no prefácio de *Confissões de Minas*, exige do escritor — manifestam-se também na sua lírica amorosa, conferindo-lhe um caráter inédito na poesia brasileira, tradicionalmente "pura".

Por outro lado, o poeta especula sobre o que lhe parece inerente ao amor, busca-lhe a essência, sem situá-lo historicamente. "O quarto em desordem" (FA) exemplifica essa abordagem. Nos primeiros versos, a notação de circunstâncias — "Na curva perigosa dos *cinqüenta* / derrapei *neste* amor" —; mas logo o poema as transcende, para filtrar dessa experiência particular ("pétala") aquilo que é a síntese definidora da essência do amor ("flor").

Na dupla dimensão histórica e filosófica reside a originalidade da lírica amorosa de Drummond no panorama da poesia brasileira. Dupla dimensão que peculiariza a sua obra em geral, voltada tanto para as "relações" do "indivíduo com o formidável período histórico em que lhe é dado viver" (Prefácio de *Confissões de Minas*) quanto para a "visão ou tentativa de, da existência", e que dá origem ao mesmo tempo à poesia politicamente engajada e à poesia metafísica e existencial mais significativa da modernidade brasileira.

O poeta assume perspectiva semelhante em relação ao tema da família. Fugindo à tônica da lírica brasileira, que incide particularmente sobre os aspectos sentimentais do tema e sobre o motivo da saudade dos familiares, dele extrai ilações de ordem filosófica e existencial: a incomunicabilidade do homem; o "contato" como fator de deterioração das relações afetivas; a irreversibilidade do tempo etc. Apesar do intenso confessionalismo, dado inseparável da poesia do autor, e apesar da riqueza de informações sobre a figura do pai e a história do clã, bem como sobre a paisagem econômico-social de Minas Gerais, a preocupação primeira reside no "significado extra-noticial" e na dimensão ontológica.

No enfoque da terra natal, idêntica originalidade. Recusa o poeta tanto a exaltação nacionalista dos românticos e parnasianos, quanto as perspectivas dos modernistas — a lírico-crítica, a satírica, a ufanista — empenhados na pesquisa do homem e da realidade brasileira, buscando-lhes os traços diferenciais, desvendando-lhes os aspectos negativos escamoteados na mitificação romântica.

Vários poemas de *Alguma poesia* demonstram a passageira identificação com os propósitos brasileiristas do Modernismo da primeira fase (1922-30). Não é neles, no entanto, que se constata a marca pessoal de Drummond. Esta se evidencia na conversão do tema em motivo de reflexão extranatal e meditação extranacional, encontráveis já no livro de estréia, coexistindo com elementos flagrantemente modernistas (o registro da linguagem popular e a notação "ingênua" do real), e exemplarmente realizada em "Evocação Mariana", "São Francisco de Assis", "Morte das casas de Ouro Preto", todos de *Claro enigma*.

Mesmo "Confidência do itabirano" (SM), tão diretamente impregnado do sentimento da terra natal, extrapola do localismo, pelas implicações filosóficas do tópico da mudança e do motivo da fugacidade dos bens ("Tive ouro, tive gado, tive fazendas" *versus* "Hoje sou funcionário público").

A indagação metafísica e existencial, praticamente inexplorada no passado, invade todas as "seções" da poesia de Drummond, trazendo um acento novo aos velhos temas.

A poética da pedra

É com ironia que Carlos Drummond de Andrade conclui sua "Autobiografia para uma revista": "[...] sou o autor confesso de certo poema, insignificante em si, mas que a partir de 1928 vem escandalizando meu tempo, e serve até hoje para dividir no Brasil as pessoas em duas categorias mentais."[1]

O poema em questão é "No meio do caminho" (AP):

No meio do caminho tinha uma pedra
tinha uma pedra no meio do caminho
tinha uma pedra
no meio do caminho tinha uma pedra

Nunca me esquecerei desse acontecimento
na vida de minhas retinas tão fatigadas.
Nunca me esquecerei que no meio do caminho
tinha uma pedra
tinha uma pedra no meio do caminho
no meio do caminho tinha uma pedra.

De fato esse breve texto provocou grande celeuma quando publicado, tornando-se peça-chave na história do Modernismo brasileiro, por ter-se constituído em alvo principal e constante das zombarias dos adversários do Movimento. Se para estes o poema não fazia nenhum sentido, para os partidários a sua extrema condensação transformou-o em enigma plurívoco, motivador de interpretações diversas.

Definido pelo autor — seja por modéstia irônica, seja por sincera avaliação — como "insignificante em si", "No meio do caminho", quando inserido em *Reunião*, ganha rica significação suplementar. Independentemente (ou não) da intenção e consciência do poeta na época, ele assume o valor de metáfora de seu percurso e ascende, para o leitor, à condição de signo não só desse percurso em sua dinâmica da composição, mas também da fatura dos textos de Drummond e da forma pela qual com eles se relaciona o público.

O sintagma-núcleo *uma pedra no meio do caminho* reaparecerá anos depois no poema "Legado", que se abre pela pergunta: "Que lembrança darei ao país que me deu / tudo que lembro e sei, tudo quanto senti?"

A essa indagação o leitor comum responderia empiricamente que o poeta lhe proporcionou uma experiência de leitura marcada pela tensão e inquietação, permeada de choques e surpresas; o leitor por ofício tomaria como ponto de referência a resposta do leitor comum — pois ela representa também nele a primeira reação diante do poeta — e, assimilando-a a categorias teóricas e fundamentando-se em estudos de especialistas da lírica moderna, diria que Drummond lega ao Brasil uma obra em que o espírito, o sentimento, a poética da modernidade, enfim, se realizam de forma mais integral e radical.

Chegando-se aos tercetos de "Legado" (CE), depara-se com a resposta do poeta à sua pergunta inicial:

> Não deixarei de mim nenhum canto radioso,
> uma voz matinal palpitando na bruma
> e que arranque de alguém seu mais secreto espinho.
>
> De tudo quanto foi meu passo caprichoso
> na vida, restará, pois o resto se esfuma,
> uma pedra que havia em meio do caminho.

Aqueles dois leitores pressentirão resíduos da mágoa que teria causado a este poeta de "eu todo retorcido", avesso a publicidade, o escândalo desencadeado por "No meio do caminho", mágoa que se dissimulara em humor na "Autobiografia para uma revista" e que reponta em "Canto ao homem do povo Charlie Chaplin"

(RP): "Era preciso que um poeta brasileiro, / não dos maiores, porém dos mais expostos à galhofa" [...]. Perceberão ainda uma alusão mista de ironia, tédio e tristeza à extraordinária repercussão do verso-núcleo de "No meio do caminho", que extrapolou do poema e penetrou nos mais variados tipos de discurso (político, jornalístico, esportivo etc.), adquirindo vida autônoma e transformando-se em propriedade coletiva.[2]

A significação do verso final de "Legado" não se restringe, porém, a esse elemento da biografia do autor e do poema escandalizante em que surgiu originariamente. Integrando-o no contexto do terceto anterior, o leitor comum percebe que existe uma relação de oposição entre ele e os sintagmas "canto radioso" e "voz matinal", modalidades de poesia às quais o poema atribui a função catártica de aliviar dores e aflições. (Drummond vê a própria obra portanto como oposta à de Manuel Bandeira, de quem diz, na ode com a qual lhe presta homenagem por seu cinqüentenário: "e que o seu canto confidencial ressoe para consolo de muitos e esperança de todos".) A partir da contextualização referida, o leitor comum intui que a "pedra no meio do caminho" lhe fornece uma metáfora daquela inquietação que experimentara no convívio com a poesia de Drummond, daqueles impactos sofridos no seu trajeto de leitura; e o leitor por ofício conclui que a imagem da pedra se converte em signo configurador de uma poética da modernidade, que se define pela tensão dissonante, pela agressiva dramaticidade, pela força traumatizante e relacionamento de choque — poética essa que se explicitará de forma radical e crua em "Oficina irritada" (CE):

> Eu quero compor um soneto duro
> como poeta algum ousara escrever.
> Eu quero pintar um soneto escuro,
> seco, abafado, difícil de ler.
> ....
> Esse meu verbo antipático e impuro
> há de pungir, há de fazer sofrer,
> tendão de Vênus sob o pedicuro.

O que no poema de 1928 poderá ter sido premonição de Drummond quanto ao desenvolvimento de sua obra, parece aflorar ao nível da consciência no "Legado" de 1948-51: a pedra no meio do caminho como sinal da concepção e execução de sua poesia, do relacionamento contundente entre leitor e texto, e como sinal de uma autobiografia poética traumatizada e dramatizada por contínuos questionamentos, tensões e desconfianças — fato ressaltado pelo próprio poeta:

> [...] a vida começou a impor-se, a desafiar-me com seus pontos de interrogação, que se desmanchavam para dar lugar a outros. Eu liquidava esses outros, mas apareciam novos.[3]

"Que é poesia...?"
("Conclusão", FA)

Se para Carlos Drummond de Andrade "tudo é pergunta na criação" ("Pacto", VPL), a interrogação-desafio-pedra básica diz respeito ao próprio ser de sua atividade criadora. Na tentativa de elucidar a questão, ele examina a natureza ambígua da poesia, decorrente da interpenetração de seus dois níveis, o imaginativo e o material. No conjunto de seus metapoemas, "Procura da poesia" (RP) se distingue como a formulação mais explícita da tensão entre os dois modos de existência da poesia: entre o que ela representa — idéias, emoções, seres e coisas — e o que ela é — um objeto verbal:

> Não faças versos sobre acontecimentos.
> Não há criação nem morte perante a poesia.
> Diante dela, a vida é um sol estático,
> não aquece nem ilumina.
> ....
> Não cantes tua cidade, deixa-a em paz.
> O canto não é o movimento das máquinas nem o segredo
> [das casas.
> Não é música ouvida de passagem; rumor do mar nas
> [ruas junto à linha de espuma.

O canto não é a natureza
nem os homens em sociedade.
Para ele, chuva e noite, fadiga e esperança nada
[significam.

....

Não dramatizes, não invoques,
não indagues. Não percas tempo em mentir.
Não te aborreças.
Teu iate de marfim, teu sapato de diamante,
vossas mazurcas e abusões, vossos esqueletos de família
desaparecem na curva do tempo, é algo imprestável.

Não recomponhas
tua sepultada e merencória infância.

Nesse primeiro movimento do poema, Drummond alude ao seu repertório de temas mais constantes; ordenando ao tu, desdobramento do eu, que não faça versos sobre eles, o poeta surpreende e desconcerta o público, na medida em que os preceitos que vai arrolando parecem contradizer a sua própria obra. Essa intertextualidade paradoxal e dramática mobiliza a expectativa do leitor, inseguro diante desta "pedra no meio do caminho" entre ele e o poema, que lhe lança o desafio de um entendimento adequado do paradoxo.

Precedida que foi da negação de suficiência poética aos assuntos dominantes em sua obra, a afirmação de Drummond, no segundo movimento do poema, de que o traço definidor da poesia — a poeticidade propriamente dita — radica no nível material e em sua específica manipulação do "reino das palavras", convence mais eficazmente o leitor, antes submetido à difícil prova da perplexidade, solucionando-lhe o impasse e devolvendo-lhe a distensão:

Penetra surdamente no reino das palavras.
Lá estão os poemas que esperam ser escritos.
Estão paralisados, mas não há desespero,

há calma e frescura na superfície intata.
Ei-los sós e mudos, em estado de dicionário.
....
Chega mais perto e contempla as palavras.
Cada uma
tem mil faces secretas sob a face neutra
e te pergunta, sem interesse pela resposta,
pobre ou terrível, que lhe deres:
Trouxeste a chave?

Mas "Procura da poesia" é antecedido de "Consideração do poema", que aborda o problema da duplicidade existencial da poesia em termos de recíproca determinação entre os planos material e representativo. Iniciando-se com um projeto poético enquanto operação verbal — "Não rimarei a palavra sono / com a incorrespondente palavra outono. / Rimarei com a palavra carne / ou qualquer outra, que todas me convêm" — desenrolando-se em contínuo ir-e-vir de um plano a outro, com reflexões tanto sobre o espaço imaginativo quanto sobre o espaço da linguagem, o texto se fecha por uma decidida opção temática — "Tal uma lâmina, / o povo, meu poema, te atravessa."

A situação dos dois textos no espaço-tempo de *A rosa do povo* — compõem a abertura do livro, em relação de vizinhança imediata — causa um impacto no leitor, visto que um parece negar incontinenti algumas proposições do outro, e o obriga a deter-se, retroceder e empreender a releitura dialógica de ambos, que atente para a concordância/discordância entre eles.

O pensar a poesia como operação combinatória de palavras aproxima os dois poemas, que apresentam inclusive semelhanças na imagística: as palavras são "no céu livre por vezes um desenho" ("consideração..."); o poema é "forma definitiva e concentrada no espaço" ("Procura..."). A partir da constatação de que a poeticidade independe do assunto, "Procura da poesia" conclui implicitamente que todo assunto é poetizável, reagindo a preceptivas restringidoras, e concordando portanto com "Consideração do poema": "Como fugir ao mínimo objeto / ou recusar-se ao grande? Os temas passam, / eu sei que passarão, mas tu resistes".

Discordam, porém, quanto à importância do nível representativo. "Consideração do poema" o inclui em seu projeto e faz uma incisiva opção pelo tema político-social — enfatizada por sua localização no final do texto, que a configura como irretorquível conclusão da "consideração" que nele se processara; "Procura da poesia" o exclui de sua proposta e dilui a categórica validade de que aquela opção se investira ("O canto não é [...] os homens em sociedade"), por nivelá-la às demais e atribuir a todas insuficiência poética.

Porque tece uma dissonância entre eles, e porque se trama com fios convergentes-divergentes, a articulação entre os dois textos é de natureza irônica: corrige dogmatismos, relativiza verdades absolutas e insinua que apenas uma atitude ambivalente pode apreender a contraditória totalidade da poesia em geral e de *A rosa do povo* em particular. Esse livro, clímax do engajamento de Drummond, que contém vários poemas sobre "acontecimentos" da Segunda Guerra Mundial ("Carta a Stalingrado", "Telegrama de Moscou", "Visão 1944", "Com o russo em Berlim"), sobre sentimentos do indivíduo e de sua classe ("O medo"), e que se encerra com "Canto ao homem do povo Charlie Chaplin", tem assim a sua fruição orientada por aqueles dois textos de abertura, que previnem o risco de leituras unilaterais que, ao invés de integrarem informação semântica e informação estética, maximizam/minimizam uma ou outra.

As tensões entre os dois poemas no nível do significado repercutem no plano da expressão. Em consonância com sua lição de que o poético não consiste na expansão da subjetividade em sua experiência do real, "Procura da poesia" adota como registro estilístico um tom de isenção didática, e dirige-se a um tu ambíguo, que engloba um eu desdobrado e distanciado e um destinatário segundo, simulação de algum "jovem poeta" a quem o texto aconselharia; os versos, em sua maioria, contêm um enunciado completo, a sintaxe é linear, predomina o ritmo pausado e lento, a dicção geral é seca e contida.

Em "Consideração do poema" expande-se um eu "explosivo, sem fronteiras", que se apropria do real ("é tudo meu"), que incorpora a poesia alheia ao "fatal meu lado esquerdo", e que faz da própria experiência criadora ato existencial que compromete a totalidade do ser — "é toda a minha vida que joguei". A emoção acelera o ritmo, os enunciados não cabem nos limites dos versos, que são dinamizados por constantes enjambements.

Assim, logo na entrada de *A rosa do povo* trava-se um embate de dicções divergentes, embate desenvolvido ao longo do livro, e que é uma característica da obra global de Drummond — que se compõe como "reunião" tensa, dissonante e conflitante de poemas.

O diálogo entre "Consideração do poema" e "Procura da poesia" sintetiza o problema crucial que se propõe a obra do poeta, a linearidade do caminho de um a outro sendo interceptada pela pedra-desafio: o impasse entre a impureza da referência ao universo do eu e das coisas e a aspiração à pureza de uma linguagem abstrata e autônoma, que se codifique segundo relações imanentes.

" — Mas haverá lugar para a poesia?"

indaga-se Drummond em "Ode no cinqüentenário do poeta brasileiro" (SM). Manifesta-se nesse questionamento a consciência de uma situação de crise da poesia, que se vê ameaçada pela civilização industrial e cultura de massas, e pelo domínio político-social da burguesia, regida por valores pragmáticos. O poeta sente-se condenado à marginalização, na medida em que a poesia lhe parece carecer de sentido e prestígio nesse contexto que transforma tudo em mercadoria e tudo hierarquiza pela escala da utilidade imediata.

"O tempo pobre, o poeta pobre / fundem-se no mesmo impasse." ("A flor e a náusea", RP) Pobreza do espaço-tempo histórico da grande cidade enquanto conjunto de destinatários pouco receptivos à poesia, por sua condição de alienados, mecânicos "servos do negócio" que são; e pobreza desse espaço-tempo enquanto fornecedor de matéria poética.

O impasse é superado quando Drummond se apossa efetivamente desse "tempo pobre", convertendo-o em assunto de uma poesia assumidamente sem aura, identificada com o homem anônimo das ruas:

> Uma flor nasceu na rua!
> Passem de longe, bondes, ônibus, rio de aço do tráfego.
> Uma flor ainda desbotada
> ilude a polícia, rompe o asfalto.
> Façam completo silêncio, paralisem os negócios,
> garanto que uma flor nasceu.
>
> Sua cor não se percebe.
> Suas pétalas não se abrem.
> Seu nome não está nos livros.
> É feia. Mas é realmente uma flor.
>
> Sento-me no chão da capital do país às cinco horas da
> [tarde
> e lentamente passo a mão nessa forma insegura.
> ("A flor e a náusea", RP)

Mas... (palavra implicitamente articuladora do diálogo entre os textos da poesia de Drummond, alerta e aberta a todos os contrários), se "as coisas findas / muito mais que lindas, / essas ficarão", idealizadas que são pela "Memória" (CE), o passado rural ressurge com a sua aura, e se impõe como tempo poeticamente rico, contracenando com a atualidade urbana. E a categórica opção — "Não serei o poeta de um mundo caduco. / [...] O tempo é a minha matéria, o tempo presente, os homens presentes, / a vida presente" ("Mãos dadas", SM) — tem sua convicção abalada pela recriação do apogeu e decadência dos antepassados mineradores e fazendeiros do interior de Minas Gerais.

Essa tensão espácio-temporal origina o paradoxo: o maior cantor urbano da poesia brasileira é igualmente o seu maior memorialista rural, o que o torna duplamente despaisado — "No elevador penso na roça, / na roça penso no elevador." ("Explicação", AP)

O tratamento dos temas da família e da terra natal representa uma "pedra no meio do caminho" da tradição lírica, a qual, centrada no motivo da saudade, deles abordava prioritariamente (ou apenas) os componentes sentimentais. Drummond imprime a ambos significação filosófica e existencial. O "convívio sem contato" com seus mortos instiga-lhe a indagação sobre o homem e sua incomunicabilidade, o tempo e seu fluxo destruidor, a morte e seu mistério, Deus e o nada. A especulação metafísica, praticamente inexplorada na tradição da poesia brasileira, permeia essas duas seções temáticas, dando inflexão nova aos temas antigos, e instaurando mais um conflito no "eu todo retorcido" — o qual se define como "poeta do finito e da matéria" ("Consideração do poema", RP).

A nostalgia do passado épico da família rural é tão mais premente quanto mais mesquinha e rotineira se afigura ao seu descendente a condição de burocrata:

> Tive ouro, tive gado, tive fazendas.
> Hoje sou funcionário público.
> Itabira é apenas uma fotografia na parede.
> Mas como dói!
>
> ("Confidência do itabirano", SM)

O poeta partilha do sentimento heróico-feudal da vida e do orgulho de estirpe, identificando-se com o aristocratismo de suas origens. Reconhecendo o seu condicionamento social — "Preso à minha classe e a algumas roupas", diz em "A flor e a náusea" (RP) —, empenha-se no entanto em rompê-lo para irmanar-se ao operário que "não tem blusa". Não se ilude quanto às barreiras entre os dois. Mas acalenta a esperança de transpô-las: "Sim, quem sabe se um dia o compreenderei?" ("O operário no mar", SM). Confrontando-se com determinismos socioeconômicos — "Assim nos criam burgueses / Nosso caminho: traçado" ("O medo", SM) —, o poeta envereda por outras trilhas que não as previstas por sua classe e se engaja na luta contra o sistema capitalista, que promete ajudar a destruir com "suas palavras, intuições, símbolos e outras armas". ("Nosso tempo", RP)

No processo da poesia brasileira, raro é o poeta que tenha desnudado na cena do texto suas contradições com tanta insistência e veemência e que tenha sido o protagonista de tão "implacável guerra" dentro de si mesmo quanto Drummond — o que testemunha a veracidade de sua fala quando diz: "Me exponho cruamente nas livrarias". ("Mundo grande", SM)

"Que metro serve / para medir-nos?"

é outra pergunta-desafio que, explícita ou tacitamente, se apresenta ao poeta ao longo do seu caminho, com tanta freqüência e contundência, que em torno dela se organiza o eixo de oposições de seu sistema semântico, e dela se irradiam inquietações que configuram uma consciência traumatizada e dilacerada em obsessiva busca de uma resposta apaziguadora.

O poeta se debate entre a posição individualista, que orgulhosamente proclama encontrar-se no próprio eu a medida do homem e do real — "Mundo mundo vasto mundo, / mais vasto é meu coração" — e a correção dessa hipertrofia da individualidade, pelo reconhecimento de que a medida do homem reside na relação do eu com uma instância que o transcende:

> Não, meu coração não é maior que o mundo.
> É muito menor.
> ....
> Sim, meu coração é muito pequeno.
> Só agora vejo que nele não cabem os homens.
> Os homens estão cá fora, estão na rua.
> A rua é enorme. Maior, muito maior do que eu esperava.
> Mas também a rua não cabe todos os homens.
> A rua é menor que o mundo.
> O mundo é grande.
> ("Mundo grande", SM)

O intenso egotismo constitui uma atitude recorrente na poesia brasileira, marcando, por exemplo, a obra de Álvares de Azevedo e de Augusto dos Anjos. Em Drummond, no entanto, ele adquire feição problemática e alcança invulgar dramaticidade. O debruçar-se sobre si mesmo, o voluntário isolamento e a desejada solidão que esse movimento pressupõe, são dolorosamente questionados pela consciência crítica do poeta, que se incrimina por superdimensionar a própria subjetividade em prejuízo da aproximação e conhecimento do outro.

Esse conflito ganha especial interesse porque ultrapassa o âmbito da representação literária de um possível problema do sujeito empírico, para caracterizar-se como dilema do sujeito poético, que se tortura e se interroga sobre qual deva ser a matéria do seu canto — se o eu, se o outro.

Semelhante dilaceramento interior, que na poesia brasileira só encontra paralelo em Mário de Andrade, impele Drummond a acercar-se do outro e a tentar situar-se e definir-se perante as diversas configurações que ele possa assumir. A tônica dos poemas sobre a família, o outro mais imediato, incide no afã de compreender e conciliar dois modos de ser em aparência irredutíveis — o do poeta e o do grupo rural-patriarcal — numa síntese que assegure tanto a individualidade do eu, quanto a integração no clã, resolvendo-se os contrários na descoberta de uma identidade pessoal que se reconhece como atualização de um dos possíveis de uma identidade transpessoal, confirmadora da unidade no múltiplo: "Não importa: sou teu filho / com ser uma negativa / maneira de te afirmar". ("A mesa", CE)

A partir da ligação com as origens, necessária à construção de sua identidade familiar e ao início de seu processo de autoconhecimento e relacionamento com o mundo, mas insuficiente para atender ao imperativo de expansão da consciência, Drummond se impõe a superação de sua estória pessoal e de suas circunstâncias, o alargamento de seu universo temático e a identificação com o outro mais longínquo, aferindo a própria medida enquanto poeta na intenção social e preocupação universal de sua obra:

> Uma rua começa em Itabira, que vai dar no meu coração.

Nessa rua passam meus pais, meus tios, a preta que me criou.
....
Uma rua começa em Itabira, que vai dar em qualquer
[ponto da terra.
Nessa rua passam chineses, índios, negros, mexicanos,
[turcos, uruguaios.
("América", RP)

A especulação sobre a medida do homem é empreendida por uma consciência dividida entre, de um lado, a exploração do "eu todo retorcido" e de outro, o "sentimento do mundo" e sua ação "na praça de convites" — cisão que se expressa poeticamente em termos de pungente dramaticidade.

"Que forma é nossa / e que conteúdo?"

são as indagações que completam a quadra iniciada por "que metro serve / para medir-nos?" Essas três perguntas, se denotativamente se referem à esfera do humano, incitam no entanto uma leitura conotativa, que aponta para a esfera do poético — leitura autorizada pela obra de Drummond, de renitente reflexão metapoética, a qual não se circunscreve nos textos coletados na seção "poesia contemplada", mas penetra em outros espaços temáticos. A possível acepção de "metro" como medida de verso, sentido plausível no microcontexto da quadra, e cabível no procedimento drummondiano de usar bissemicamente termos relativos a componentes do fazer poético, é outro fator que legitima a leitura metalingüística dos versos.

A palavra "cavalo-marinho" do título do poema a que pertencem esses versos — "Perguntas em forma de cavalo-marinho" (CE) — além de sugerir a natureza ambígua do homem e a forma ambivalente das perguntas ("contemos algo?" / somos contidos?"), remete oblíqua e humoristicamente ao nível ótico do texto, em sua reiterada incidência do sinal de interrogação, que evocaria a imagem simplificada e estilizada de um hipocampo. (cf. "Aliança", NP, e sua referência à matéria visual da poesia, o papel e os sinais gráficos: "vou arrumando esses bens / em preto na face branca".)

Essa constelação de elementos estimula a leitura polissêmica da quadra, que inclua uma pergunta do autor quanto ao "conteúdo" de sua poesia, reincidentemente questionado, e quanto à "forma" e ao "metro" em que ela se realiza. Consciente de seu ofício e de sua medida, Drummond dá a resposta-chave na autocaracterização: "ó poeta de uma poesia que se furta e se expande". ("Os bens e o sangue", CE)

Esse duplo movimento resulta da tensão entre dois pólos: o pudor da confissão e a dificuldade de comunicação — "E esse alheamento do que na vida é porosidade e comunicação" — e a compulsão de revelar-se e a necessidade de ecoar em outrem:

> Por isso gosto tanto de me contar.
> Por isso me dispo,
> por isso me grito,
> por isso freqüento os jornais, me exponho cruamente nas
> [livrarias:
> preciso de todos.
> ("Mundo grande", SM)

A dinâmica ocultação-desnudamento não atinge somente o nível do "conteúdo", mas se projeta na "forma", na qual se trava o conflito represamento-extravasamento da emoção. Esse conflito dá origem à multiplicidade de dicções do poeta, ora disseminada por textos vários, ora concentrada num único texto, entremesclando-se o discurso econômico e seco, que visa a um efeito de mero registro informativo pretensamente neutro, e o discurso lírico, o patético, o humorístico.

Categoria constante na obra do poeta, o *humour* promove o equilíbrio entre paixão e lucidez, envolvimento sentimental e distanciamento crítico, exercendo o controle da emoção, inibindo ou coibindo o desbordamento do *pathos* ou o excesso de efusão lírica. É bastante freqüente na poesia sobre o amor, na qual, a par de outras funções, atua como elemento dessacralizador do tema, tradicionalmente nobre; mas vários poemas amorosos assumem uma dicção hierática, em consonância com uma interpretação do amor como rito de iniciação e/ou de sacrifício.

O movimento de expansão se executa mais livremente nos poemas engajados na guerra contra o nazi-fascismo, quer pela entrega sem reservas do poeta ao seu empenho de comunicar, comover e convencer, quer em função do imediatismo dos acontecimentos que inspiram os textos: "É preciso tirar da boca urgente / o canto rápido, ziguezagueante, rouco, / feito da impureza do minuto". ("Mário de Andrade desce aos infernos", RP)

A alternância e oposição entre modos de dizer indicia uma consciência poética inquietada por questionamentos e desconfianças da validade ou eficácia de sua expressão — obstáculos que lhe interceptam um caminho linear e que levam o poeta à contínua experimentação de novas formas.

Nesse pluriestilismo configura-se uma prática da linguagem como espaço de tensão e lugar de drama — o que distingue a obra de Drummond, no processo da poesia brasileira, como de radical modernidade. Nele se concretiza uma poética que induz o público a um comportamento caracterizado pela antiinércia, que lhe impede a aquisição de hábitos de leitura e lhe impossibilita um consumo tranqüilo e passivo. O percurso de cada texto e/ou o caminho pelos vários textos, por seu conflito de dicções e dissonância de estilos, mobilizam-no em direções diversas e contrárias, obstruindo-lhe uma fruição pautada no repouso e na distensão.

A combinatória de palavras, por sua imprevisibilidade, produz efeito semelhante. O poeta combina palavras de áreas muito diferentes ("melancólico e vertical"); justapõe o concreto e o abstrato ("estrada de pó e esperança"); vincula um substantivo a um verbo que se costuma empregar com substantivos de outros campos semânticos ("usar este raio de sol e não aquele, certo copo e não outro"; "inaugurar novos antepassados"); aproxima palavras que, no código da língua, têm entre si possibilidades denotativas e conotativas muito remotas ("Irmão, saber que és irmão, / na carne como nos domingos").

Sensibilidade sempre atenta e consciência crítica sempre alerta diante do fato lingüístico, Drummond repudia alianças previsíveis de palavras, que já perderam força expressiva. Alianças que — digamos — entrariam por um ouvido e sairiam pelo outro, sem ressonância no leitor. Ao seu procedimento na combinatória sintagmática poderia ser aplicada a personalíssima imagem — "[...] a morte engana, / como um jogador de futebol a morte engana" ("Morte no avião", RP) — imagem que aproxima termos de conotações divergentes no uso social da língua, desprezando o poeta as antinomias flagrantes em favor de uma analogia que **ele** imprime aos objetos, **dando um chute** nos hábitos associativos e inaugurando uma "ordem nova" ou "nova desordem" no "reino das palavras" e na apreensão do real.

Em função das várias técnicas de choque que presidem à sua fatura, essa poesia impõe ao leitor uma percepção particularmente dinâmica, uma atenção alerta e ágil, que fazem de sua leitura uma experiência de expectativa e tensão. Daí o seu caráter traumatizante e o relacionamento dramático que se cria entre o público e ela.

O sintagma *uma pedra no meio do caminho* ocorre também em "Consideração do poema" (RP): "Uma pedra no meio do caminho / ou apenas um rastro, não importa. / Estes poetas são meus. [...]"

Nesse contexto, a "pedra" se enriquece de nova significação, identificando-se como metáfora da noção de permanência tangível, viva, duradoura. Carlos Drummond de Andrade, por haver traçado a sua autobiografia poética como um percurso dinamizado e angustiado por sucessivos questionamentos e desafios, assegurou à sua obra uma permanência contundente na poesia brasileira.

A inteligência trágica do universo

E como ficou chato ser moderno.
Agora serei eterno.
("Eterno", FA)

Introdução

Publicado inicialmente na revista *Anhembi* de fevereiro de 1951, o poema "Os bens e o sangue" no mesmo ano vem a ser editado no livro *Claro enigma.*

Na *Antologia poética* organizada pelo próprio Drummond, ele é incluído na seção temática intitulada "A família que me dei". Segundo a "Informação" do autor que precede a coletânea, "algumas poesias caberiam talvez em outra seção que não a escolhida, ou em mais de uma", a repartição atendendo à "tônica da composição".*

Sem dúvida a tônica de "Os bens e o sangue" incide no relacionamento entre o poeta e o grupo familiar. Nele, porém, ressoa o entrelaçamento de outros "pontos de partida ou matéria de poesia". Nesse sentido, o poema se caracteriza como peça poli-

* C. Drummond de Andrade, *Antologia poética*, p.5. Na "Informação" Drummond enumera como "pontos de partida ou matéria de poesia": 1) o indivíduo; 2) a terra natal; 3) a família; 4) amigos; 5) o choque social; 6) o conhecimento amoroso; 7) a própria poesia; 8) exercícios lúdicos; 9) uma visão, ou tentativa de, da existência. No índice o poeta atribui títulos a cada uma dessas seções temáticas. São eles: 1) "Um eu todo retorcido"; 2) "Uma província: esta"; 3) "A família que me dei"; 4) "Cantar de amigos"; 5) "Na praça de convites"; 6) "Amar-amaro"; 7) "Poesia contemplada"; 8) "Uma, duas argolinhas"; 9) "Tentativa de exploração e de interpretação do estar-no-mundo".

fônica na obra de Drummond: vários elementos da configuração poética "um eu todo retorcido" reúnem-se na composição da figura central do texto; mais do que cenário do choque entre as forças antagônicas, e mais do que processo econômico e histórico a determinar a estória da família, "a terra natal", com seus valores e sistema de vida, fornece os próprios motivos do conflito; as ilações filosóficas e metafísicas suscitadas pelo específico tratamento do assunto compõem "uma visão, ou tentativa de, da existência". Embora transcenda a disponibilidade da seção "Uma, duas argolinhas", a intensa ocorrência de jogos morfológicos e fono-semânticos atesta, porém, o quanto de "exercícios lúdicos" compreende a criação poética, que, se a eles não se reduz, deles não pode prescindir. Finalmente infere-se do texto uma reflexão sobre a própria poesia, fato que o aproxima da seção "Poesia contemplada".

Comunicam-se portanto no poema seis das nove seções indicadas pelo autor como "matéria" de sua poesia. Regidas pelo "ponto de partida" "a família", nele repercutem as seções: "o indivíduo", "uma província: esta", "a própria poesia", "exercícios lúdicos" e "tentativa de exploração e de interpretação do estar-no-mundo".

Quando de sua publicação na revista *Anhembi*, "Os bens e o sangue" vinha precedido de uma nota esclarecedora do autor, que julgamos oportuno transcrever:

> Embora persuadido de que não cabe explicação para um poema, além da que ele mesmo traz consigo, o autor julga conveniente informar quanto à gênese desta composição. Resultou ela da leitura de um maço de documentos de compra e venda de datas de ouro no nordeste de Minas Gerais, operações essas realizadas em meados do século XIX. Simultaneamente, certo número de proprietários, integrantes da mesma família, resolveu dispor de tais bens, havidos por meio de herança ou de casamento. Até então, permaneciam sob domínio do mesmo grupo familiar os terrenos auríferos descobertos em 1781, na serra de Itabira, pelo capitão João Francisco de Andrade, que os transmitiu a um seu sobrinho e sócio, o major Laje. Diz Eschwege que as lavras de João Francisco, em 1814, produziam mais de 3 mil oitavas de ouro. A exploração declinou com o tempo,

> e por volta de 1850 vemos os donos se desfazerem de jazidas e benfeitorias.
> Não se procure em dicionário o significado de lajos e andridos, palavras existentes no contexto, e que são meras variações de nomes de famílias da região.
> O nome Belisa, dado a animais, consta de inventário da época.

A importância de "Os bens e o sangue" não se restringe a seu valor de microcosmo temático do autor. Mais relevante é desenhar-se o texto como espaço poético de confluência e radicalização de "características, preocupações e tendências que ... condicionam ou definem"[1] o sistema da poesia drummondiana. Entre elas a nossa leitura elegeu como objeto de análise no referido poema a inteligência trágica do universo,[2] tão entranhada e disseminada na obra do poeta que parece instituir-se, no nível do significado, como uma das marcas por excelência da sua individuação no processo da poesia moderna brasileira.

Mário de Andrade teve a percepção desse traço decisivo e distintivo de Drummond, a quem diz categoricamente em uma de suas cartas: "Você é o mais trágico dos nossos poetas, o único que me dá com toda a sua violência a sensação e o sentimento do trágico."[3]

Em "Poema-orelha", Drummond faz uma síntese de características do livro *A vida passada a limpo* que são válidas para a sua poesia em geral:

> Aquilo que revelo
> e o mais que segue oculto
> em vítreos alçapões
> são notícias humanas,
> simples estar-no-mundo,
> e brincos de palavra,
> um não-estar-estando,
> mas de tal jeito urdidos
> o jogo e a confissão
> que nem distingo eu mesmo
> o vivido e o inventado.

Em "Os bens e o sangue" o poeta submete o seu conflito com a família e a sua inadaptação ao contexto rural-patriarcal, que constituem a "confissão" do poema, a um processo de estilização — a um "jogo" — de natureza trágica, que extrai as suas regras da tragédia grega e dos relatos bíblicos.

A reelaboração poética da matéria representada no poema, o "jogo" trágico que lhe dá forma, corroboram de modo exemplar a reflexão de Octavio Paz sobre a criação poética:

> Cada poeta inventa sua própria mitologia e cada uma dessas mitologias é uma mistura de crenças díspares, mitos desenterrados e obsessões pessoais.[4]

Em "A um morto, na Índia" (VPL), poema sobre o pintor e cenógrafo Santa Rosa, diz Drummond: "a face do artista é sempre mítica". Em "Os bens e o sangue" ele delineia a sua própria "face mítica", face trágica por excelência.

Qualquer que haja sido o seu grau de consciência-inconsciência, a escolha de um *pattern* trágico para "Os bens e o sangue" materializou-se na construção de uma estrutura e na elaboração de uma Forma que integram como seus elementos constitutivos — e não apenas como assunto ou tema do qual se fala — as significações sociológicas e psicológicas acionadas pelo poema: o ilimitado poder dos patriarcas rurais sobre todos os que gravitam à sua volta; o choque do poeta com a autoridade ancestral e com o meio rural; o processo de decadência de seu clã familiar; a plasmação do seu modo de ser por essas instâncias e circunstâncias.

A "matéria de poesia" de "Os bens e o sangue" é portanto duplamente ancorada na realidade: além de originada da leitura do documento de compra e venda das minas, ela está profundamente enraizada na organização da sociedade agrária brasileira, mais especificamente no regime do patriarcalismo rural.

No sentido de fornecer ao leitor uma descrição precisa e minuciosa dessa realidade histórico-cultural que será poeticamente transfigurada por Drummond em "Os bens e o sangue" e em expressiva parte de sua poesia, recorremos à análise feita por Oliveira Vianna das prerrogativas do patriarca rural:

> Na alta classe rural ... é imensa a ação educadora do pater-familias sobre os filhos, parentes e agregados, adscritos ao seu poder. É o pater-familias que, por exemplo, dá noivo às filhas, escolhendo-o segundo as conveniências da posição e da fortuna. Ele é quem consente no casamento do filho, embora já em maioridade. Ele é quem lhe determina a profissão, ou lhe destina uma função na economia da fazenda. Ele é quem instala na sua vizinhança os domínios dos filhos casados, e nunca deixa de exercer sobre eles a sua absoluta ascendência patriarcal. Ele é quem os disciplina, quando menores, com um rigor que hoje parecerá bárbaro, tamanha a severidade e a rudeza. Por esse tempo, os filhos têm pelos pais um respeito que raia pelo terror.[5]

Ao evocar a figura do pai em "Como um presente" (RP), Drummond faz uma singular recriação poética de seus atributos de patriarca:

> o domínio total sobre irmãos, tios, primos, camaradas, caixeiros,
> [fiscais de governo, beatas, padres, médicos, mendigos, loucos
> [mansos, loucos agitados, animais, coisas

Também "O beijo", de *Menino antigo*, narra em terceira pessoa um episódio ilustrativo da relação entre pai e filho, que o poeta define como "exigência / de terroramor".

Mais que qualquer outro poema, no entanto, "Os bens e o sangue" mostra — reportando-nos à proposição de Octavio Paz — que o regime rural patriarcal constitui para Drummond um terreno extraordinariamente fértil para a invenção de sua própria mitologia. Mitologia de feição trágica, talvez, entre outras razões, por ser a tragédia "uma forma de arte que configura o que é amado dentro de uma estrutura do que é temido".[6]

Como estratégia de leitura, que visa a promover uma convivência mais íntima com o poema e uma preparação para o estudo do trágico, focalizaremos inicialmente a estruturação dramática do texto, aspecto afim e necessário à tragicidade que dele emerge.

Os bens e o sangue

I

Às duas horas da tarde deste nove de agosto de 1847
nesta fazenda do Tanque e em dez outras casas de rei,
[*q* não de valete,
em Itabira Ferros Guanhães Cocais Joanésia Capão
diante do estrume em *q* se movem nossos escravos e da
[viração
perfumada dos cafezais *q* trança na palma dos coqueiros
fiéis servidores de nossa paisagem e de nossos fins
[primeiros,
deliberamos vender, como de fato vendemos, cedendo
[posse jus e domínio
e abrangendo desde os engenhos de secar areia até o ouro
[mais fino,
nossas lavras mto. nossas por herança de nossos pais e
[sogros bem-amados
q dormem na paz de Deus entre santas e santos
[martirizados.
Por isso neste papel azul Bath escrevemos com a nossa
[melhor letra
estes nomes *q* em qualquer tempo desafiarão tramóia
[trapaça e treta:
ESMERIL PISSARRÃO
CANDONGA CONCEIÇÃO
E tudo damos por vendido ao compadre e nosso amigo
[o snr. Raimundo Procópio
e a D. Maria Narcisa sua mulher, e o *q* não for vendido,
[por alborque
de nossa mão passará, e trocaremos lavras por matas,
lavras por títulos, lavras por mulas, lavras por mulatas
[e arriatas,
q trocar é nosso fraco e lucrar é nosso forte. Mas fique
[esclarecido:
somos levados menos por gosto do sempre negócio *q* no
[sentido

de nossa remota descendência ainda mal debuxada no
[longe dos serros.
De nossa mente lavamos o ouro como de nossa alma um
[dia os erros
se lavarão na pia da penitência. E filhos netos bisnetos
tataranetos despojados dos bens mais sólidos e rutilantes
[portanto os mais completos
irão tomando a pouco e pouco desapego de toda fortuna
e concentrando seu fervor numa riqueza só, abstrata e una.

Lavra da Paciência
Lavrinha de Cubas
Itabiruçu

II

Mais que todos deserdamos
deste nosso oblíquo modo
um menino inda não nado
(e melhor não fora nado)
que de nada lhe daremos
sua parte de nonada
e que nada, porém nada
o há de ter desenganado.

E nossa rica fazenda
já presto se desfazendo
vai-se em sal cristalizando
na porta de sua casa
ou até na ponta da asa
de seu nariz fino e frágil,
de sua alma fina e frágil,
de sua certeza frágil
frágil frágil frágil frágil

mas que por frágil é ágil,
e na sua mala-sorte
se rirá ele da morte.

III

Este figura em nosso
pensamento secreto.
Num magoado alvoroço
o queremos marcado
a nos negar; depois
de sua negação
nos buscará. Em tudo
será pelo contrário
seu fado extra-ordinário.
Vergonha da família
que de nobre se humilha
na sua malincônica
tristura meio cômica,
dulciamara nux-vômica.

IV

Este hemos por bem
reduzir à simples
condição ninguém.
Não lavrará campo.
Tirará sustento
de algum mel nojento.
Há de ser violento
sem ter movimento.
Sofrerá tormenta
no melhor momento.
Não se sujeitando
a um poder celeste
ei-lo senão quando
de nudez se veste,
roga à escuridão
abrir-se em clarão.
Este será tonto
e amará no vinho

um novo equilíbrio
e seu passo tíbio
sairá na cola
de nenhum caminho.

V

— Não judie com o menino,
 compadre.
— Não torça tanto o pepino,
 major.
— Assim vai crescer mofino,
 sinhô!

— Pedimos pelo menino porque pedir é nosso destino.
Pedimos pelo menino porque vamos acalentá-lo.
Pedimos pelo menino porque já se ouve planger o sino
do tombo que ele levar quando monte a cavalo.

— Vai cair do cavalo
de cabeça no valo.
Vai ter catapora
amarelão e gálico
vai errar o caminho
vai quebrar o pescoço
vai deitar-se no espinho
fazer tanta besteira
e dar tanto desgosto
que nem a vida inteira
dava para contar.
E vai muito chorar.
(A praga que te rogo
para teu bem será.)

VI

Os urubus no telhado:

E virá a companhia inglesa e por sua vez comprará tudo
e por sua vez perderá tudo e tudo volverá a nada
e secado o ouro escorrerá ferro, e secos morros de ferro
taparão o vale sinistro onde não mais haverá privilégios,
e se irão os últimos escravos, e virão os primeiros
[camaradas;
e a besta Belisa renderá os arrogantes corcéis da
[monarquia,
e a vaca Belisa dará leite no curral vazio para o menino
[doentio,
e o menino crescerá sombrio, e os antepassados no
[cemitério
se rirão se rirão porque os mortos não choram.

VII

Ó monstros lajos e andridos que me perseguis com vossas
[barganhas
sobre meu berço imaturo e de minhas minas me expulsais.
Os parentes que eu amo expiraram solteiros.
Os parentes que eu tenho não circulam em mim.
Meu sangue é dos que não negociaram, minha alma é dos
[pretos,
minha carne dos palhaços, minha fome das nuvens,
e não tenho outro amor a não ser o dos doidos.
Onde estás, capitão, onde estás, João Francisco,
do alto de tua serra eu te sinto sozinho
e sem filhos e netos interrompes a linha
que veio dar a mim neste chão esgotado.
Salva-me, capitão, de um passado voraz.
Livra-me, capitão, da conjura dos mortos.
Inclui-me entre os que não são, sendo filhos de ti.
E no fundo da mina, ó capitão, me esconde.

VIII

— Ó meu, ó nosso filho de cem anos depois,
que não sabes viver nem conheces os bois

pelos seus nomes tradicionais... nem suas cores
marcadas em padrões eternos desde o Egito.
Ó filho pobre, e descorçoado, e finito
ó inapto para as cavalhadas e os trabalhos brutais
com a faca, o formão, o couro... Ó tal como quiséramos
para tristeza nossa e consumação das eras,
para o fim de tudo que foi grande!
Ó desejado,
ó poeta de uma poesia que se furta e se expande
à maneira de um lago de pez e resíduos letais...
És nosso fim natural e somos teu adubo,
tua explicação e tua mais singela virtude...
pois carecia que um de nós nos recusasse
para melhor servir-nos. Face a face
te contemplamos, e é teu esse primeiro
e úmido beijo em nossa boca de barro e de sarro.

A Dramaticidade

A matéria de "Os bens e o sangue" se organiza numa estrutura que o faz distinguir-se, na produção global de Drummond, como o texto de atualização mais plena das potencialidades dramáticas características de sua voz poética.

Ao simular pessoas falando, ouvindo, respondendo e reagindo umas às outras, a distribuição do material verbal em falas corais e diálogos atribui ao poema amplificação dramática, nos seus aspectos mais diretamente relacionados com a representação e o espetáculo. A virtualidade teatral insinua-se também na parte I, que sugere, em adaptação para o palco — e mesmo fora dele, em consumo silencioso e individual — a figura de um arauto lendo em voz alta o documento.

Conflito, progressão, expectativa, tensão, mudança e surpresa asseguram movimento e tempo dramáticos ao texto.

O documento de venda e troca das minas (I) instala a situação geradora do conflito entre o deserdado e os antepassados, conflito que atinge o seu clímax na parte VII.

A profecia dos ancestrais (II-III-IV) vai-se fazendo cada vez mais abrangente, predeterminando o modo-de-ser e a existência do "menino inda não nado", augurando-lhe toda sorte de infortúnios. A fala II deixa, no entanto, entrever uma disposição anímica de simpatia em relação ao menino, por conceder-lhe a possibilidade de agenciamento positivo, defensivo quando menos, da fragilidade, condição potencial de sofrimento: "mas que por frágil é ágil". A sugestão de simpatia investe-se de rendimento dramático, por provocar no leitor a pergunta: por que então os vaticínios funestos? e assim aguçar-lhe o interesse para a decifração do enigma.

Justifica-se a pergunta aparentemente ingênua do leitor. É certo que o documento apresenta, como motivação da venda e troca das minas, a intenção dos assinantes de despojarem os descendentes "dos bens mais sólidos e rutilantes", a fim de levá-los a concentrar "seu fervor numa riqueza só, abstrata e una". É certo também que, jogando-se esses versos com o título "Os bens e o sangue", impõe-se a descodificação: "riqueza só, abstrata e una" = "sangue". É certo mas é cedo. No tempo dramático do poema, o título só se esclarece inteiramente no final. Inclusive o testemunho de devoção e ascetismo religioso — "de nossa mente lavamos o ouro como de nossa alma um dia os erros / se lavarão na pia da penitência" — induz, no tempo de I a VII, à ambigüidade de interpretação da "riqueza só, abstrata e una", sobretudo levando-se em conta que na tradição poética, particularmente na barroca, à qual Drummond é afeiçoado, o tópico do *de contemptu mundi* pregava o menosprezo dos bens mundanos em benefício do amor a Deus.

Já começa portanto a esboçar-se a estrutura problemática do texto, geradora da tensão dramática, e que se peculiariza pelo fato de que o sentido capital da história só é revelado no fim.[7]

Em III, os antepassados explicitam a finalidade de sua ação exterminadora: negação inicial-aceitação final do clã pelo poeta. Quanto ao mais, silenciam: "este figura em nosso pensamento secreto". O indício do desenlace "aceitação" não neutraliza a expectativa do leitor, pois a fala dos ancestrais se articula como oráculo, e como tal constitui um meio eficaz de estimular e manter vivo o *suspense*, por produzir uma divisão no leitor ou espectador: em termos racionais, ele sabe que a profecia deverá cumprir-se; em termos emocionais, porém, alimenta a esperança de que ela não se realize.[8]

A essa expectativa somam-se mais três: uma relativa ao *como?* do processo resolutório da antítese negação-aceitação, expectativa que não anula a anterior, vivenciada, conforme se viu, de maneira insegura, com alternância de suspeitas e de respostas; outra referente ao *para quê?* da aceitação; e uma terceira alusiva ao *por quê?* do sacrifício, ou seja, por que, para a adesão do menino aos antepassados, é necessário fazê-lo vítima expiatória?

Por que razão?, segundo Staiger[9], é a pergunta que orienta o ator dramático. Acrescentem-se: para quê? como?

A progressão do patético — a partir da *Poética* de Aristóteles[10] aqui interpretado como ação destruidora e dolorosa — atinge o clímax na fala IV: nela se completa o envolvimento gradativo, iniciado na parte II, de todas as esferas do ser e do agir do menino, a quem os antepassados não permitem nenhuma manifestação vital isenta de martírio.

A fala V introduz novas vozes, agora de figurantes: um coro de escravos e agregados. No sistema de interdependência das partes vigente no texto, ela opera, em certa medida, a distensão do clímax patético da cena precedente:

a) por constituir, no seu conjunto, a glosa de motivos anteriores — fragilidade física em II, "vergonha da família" em III, "não lavrará campo" em IV — sem acrescentar motivos novos de padecimento aos já prenunciados no trajeto de II a IV.

b) por substituir o espaço mítico por um espaço do real imediato. Em vez de divindades ancestrais, rigorosas e atemorizantes, gente humilde e compassiva, que intercede pelo menino (embora na terceira estrofe retome as profecias dos senhores, fato que se discutirá posteriormente).

c) pela natureza da maioria das predições: confrontadas com as outras do poema, e sobretudo com as da fala antecedente, sugerem pequenas desventuras do cotidiano, vivíveis por qualquer criança do ambiente rural, manifestando-se a ação em seus lances aparentemente menos destruidores e dolorosos.

d) pela linguagem oral-popular, de comunicação mais imediata, em oposição à linguagem bíblica de IV, de caráter mais criptográfico. Observe-se ainda que as formas verbais "vai cair", "vai ter", apesar do tom profético, atenuam o valor imperativo e infalível de "sofrerá" e "há de ser".

A distensão do clímax patético (repita-se: *pathos* aqui conceituado como ação destruidora e dolorosa) não prejudica o efeito dramático da parte V, que contribui para a movimentação cênica do poema e concorre para a expectação do leitor por lançar um novo enigma e propor nova pergunta: por que a praga que rogam ao menino será para seu bem?

Outro recurso que promove a funcionalidade dramática do coro dos escravos: a extrema dinamização do ritmo do terceiro momento, com a seqüência de hexassílabos anapésticos (v.5-9), sua dicção rapidíssima indicada pela ausência de pontuação e realçada pela anáfora e paralelismo sintático (também anapestos: v.1-2; v.12). A fala em hexassílabos se constrói em regime de tensão entre o estrato semântico e o estrato fônico: a qualidade trágica dos fatos agourados parece resultar mais do ritmo enfatizante do que das unidades de sentido.

(Esclareça-se: ao chegar-se à parte VIII, fecho do poema, os males arrolados na fala dos escravos assumem a dimensão de calamidade, por formarem um conjunto de signos de desajustamento do menino à vida agrária, de inépcia "para os trabalhos brutais", determinantes de sua marginalização do contexto patriarcal, e decorrente solidão. A fala V vive, por assim dizer, dois tempos: no segundo, por efeito da iluminação retroativa de VIII — fato comum em estruturas problemáticas — ganha maior densidade de significado.)

O ritmo acelerado da série de hexassílabos concretiza na camada fônica a precipitação dos acontecimentos e se articula com o ritmo voraginoso de VI. O estrato fônico antecipa o que o estrato do significado virá a formular no verso 7 de VI: a fusão do destino individual do menino e do destino coletivo da região.

A dinâmica do texto vai abarcando diversos níveis de realidade: o coro dos urubus amplia o universo das predições, agora extensivas ao processo econômico da região, mas repercutindo todas no menino, foco do interesse dramático do poema. Com a oposição "menino doentio", "menino [...] sombrio" *versus* "os antepassados se rirão se rirão", os versos finais aproximam as figuras em conflito, preparando a cena VII.

Adaptando a "Os bens e o sangue" reflexões e palavras de Helen Gardner relativas às reações do espectador de uma peça teatral, diríamos que as partes II-VI desenrolam uma situação que provoca no leitor a resposta: "isto não pode continuar assim; alguma coisa *precisa* acontecer."[11]

Na parte VII, acontece: o menino, até então *ele* na fala dos outros, surge com a sua própria fala, que inaugura no texto o regime de diálogo entre as duas principais forças em conflito. A linguagem de alta tensão emocional faz localizar-se nessa fala o clímax do *pathos* — agora no sentido de "tom que provoca paixões", conceituação de Staiger fundamentada na *Retórica* de Aristóteles. Clímax sabiamente armado pela elocução em crescendo das falas V e VI.

> Ó monstros lajos e andridos que me perseguis com vossas
> [barganhas
> sobre meu berço imaturo e de minhas minas me expulsais.
> Os parentes que eu amo expiraram solteiros.
> Os parentes que eu tenho não circulam em mim.
> Meu sangue é dos que não negociaram, minha alma é dos
> [pretos,
> minha carne dos palhaços, minha fome das nuvens,
> e não tenho outro amor a não ser o dos doidos.

O menino repudia os antepassados, cumprindo-se portanto a negação profetizada na parte III. E a aceitação, também se efetuará? — indaga a expectativa do leitor.

Na fala VIII, a resposta dos ancestrais, e uma surpresa: a radical mudança no tom emotivo do discurso, antes seco e incisivo, ameaçador e imperativo, agora intensamente afetuoso. Ainda valendo-nos de considerações de Helen Gardner, os sete primeiros versos (até "com a faca, o formão, o couro...") produzem no leitor a reação: "Alguma coisa *está acontecendo* que está mudando tudo o que diz respeito a eles."

A partir de "ó tal como quiséramos" vai-se decifrando o enigma. Consuma-se a aceitação profetizada em III. "Algo *aconteceu*; tudo agora está diferente" — pensa o leitor.

Completou-se o drama.

Texto em que os elementos dramáticos da poesia de Drummond encontram sua arquitetura mais coesa, "Os bens e o sangue" determina uma fruição intensamente dramática. Quase teatral.

A Tragicidade

O conflito e as personagens

O conteúdo manifesto predominante em "Os bens e o sangue" — o relacionamento entre o poeta e o grupo familiar, tema recorrente na obra de Drummond — recebe um tratamento específico, caracterizado pela conformação da matéria segundo o modelo trágico, haurido tanto na tragédia grega quanto nos relatos bíblicos.

Nesse conteúdo manifesto interpenetram-se duas referências. O progressivo declínio de uma família da aristocracia rural[12] compõe a referência histórica; as relações entre o poeta e o clã, a referência privada. Através de uma constelação de dados, percebe-se um processo de estilização trágica na organização poética dessa dupla matéria, estilização que incide sobre os vários elementos em jogo no poema, percorrendo-lhe os diversos níveis.

No nível das personagens, os ancestrais são estilizados em divindades-oráculos, que ordenam o destino de sua criatura — "o menino inda não nado" (II); este, por sua vez, estiliza-se na figura do suplicante, um dos padrões de personagem da tragédia, definido por Northrop Frye como impotente (ver VII) e merecedor de compaixão, rejeitado pelo grupo social (ver III: "vergonha da família"), geralmente mulher ou criança, através de quem a piedade e o terror atingem o máximo de intensidade.[13]

Antepassados-divindades e menino-suplicante são colocados em situação de conflito. Conflito que, a partir de seus pressupostos — de um lado o homem, e de outro, a ordem em que se insere — esboça-se como trágico.[14] No conteúdo manifesto, o regime agrário patriarcal representa o horizonte existencial do menino; na tensão entre os dois pólos instala-se o conflito. A partir do documento de venda e troca das minas, da autocaracterização dos ancestrais, do lugar que ocupam na escala social do tempo e da inadaptação do menino ao contexto familiar, cria-se uma analogia entre o conflito de "Os bens e o sangue" e os choques trágicos, na medida em que estes se constroem em torno dos valores sobre os quais se assenta a base moral da aristocracia em crise.[15]

A estilização dos ancestrais em divindades oraculares desempenha múltiplas funções no texto. Em relação ao conflito manifesto, institui uma hipérbole do poder dos patriarcas rurais, que moldavam a existência e decidiam o destino dos familiares. Vários poemas de *Menino antigo* retomam a visão amplificadora do patriarca, ali particularizada na figura do pai, atribuindo-lhe proporções míticas que o alçam do chão em que se movem os demais membros do grupo.

Na criação de um novo contexto referencial descobre-se a segunda função da estilização dos ancestrais em divindades. Essa específica estruturação da matéria produz significado, um "significado extra-noticial",[16] que vai além da referência histórica e da referência familiar do conteúdo manifesto, tecendo uma rede de significações metafísicas, que integram o conteúdo latente do poema. Em decorrência, pode-se e deve-se incluir "Os bens e o sangue" também na seção da poesia de Drummond intitulada "tentativa de exploração e de interpretação do estar-no-mundo", que versa sobre uma "visão, ou tentativa de, da existência".

O emergir de uma dimensão filosófica e metafísica repercute necessariamente no conflito e nos seus dois pólos: amplia a ordem e desparticulariza o herói, existencializando o conflito, que desenha nitidamente a sua tragicidade ao identificar-se como tensão entre deuses e homem. Se a tragédia não tem nessa polaridade a sua matéria exclusiva, sem dúvida dela faz a sua matéria privilegiada, de tal forma que filósofos do trágico estabelecem a equação entre uma e outra.

A relação problemática com a divindade enquanto substância objetiva e ordem transcendente, à qual o poeta não adere, mas da qual não se desliga totalmente, instaura na obra de Drummond a crise do divino,[17] tema próprio da tragédia. No sistema poético do autor, "Os bens e o sangue" se define portanto como forma dramática e estrutura trágica desse dado conteudístico recorrente, liricamente sintetizado em "Elegia" (FA): "meu Deus e meu conflito". No "eu todo retorcido" percebe-se o desejo de crer, grau suficiente da religiosidade que parece caracterizar os artistas trágicos.[18]

A dialética particular-geral afirma-se como movimento próprio da tragédia: o indivíduo e seu acontecer só adquirem significação trágica se relacionados com os problemas fundamentais que se propõem ao homem no seu percurso existencial. Ao herói e suas vicissitudes deve-se enfocá-los como exemplos da própria condição humana, sem o que carecem de tragicidade. Nesse sentido, Jacqueline de Romilly, fazendo a redução de *Fedra* e *Édipo-rei* aos acontecimentos objetivadores do conflito, observa que eles não ultrapassariam a qualidade de matéria-prima para melodramas, não fosse a especial "luz"[19] que os ilumina, neles evidenciando um signo do ser do homem e do seu estar-no-mundo.

O movimento particular-geral percorre a obra de Drummond, invadindo-lhe as diversas seções temáticas; dos componentes pessoais e dados biográficos o poeta extrai um "significado extra-noticial", que aponta para uma problemática existencial e ontológica. Essa dimensão já se insinua em "Poema de sete faces", que é — lembre-se — o texto de abertura de *Alguma poesia*, livro de estréia do poeta: "Mundo mundo vasto mundo / se eu me chamasse Raimundo / seria uma rima, não seria uma solução." Uma das leituras possíveis desses polissêmicos versos sugere que o sentimento de inadequação entre o sujeito poético e o mundo independe de circunstâncias biográficas — chamar-se ele Carlos, ser filho de fazendeiro, haver nascido em Minas, ter um trajeto de vida até então marcado por certos acontecimentos etc. Se existe uma variante entre Carlos e Raimundo — o nome de um não rima com "mundo", o do outro rima —, uma invariante no entanto os aproxima: ambos são irmãos na insolução com o mundo. Cria-se no texto uma analogia entre o particular e o geral, entre *este homem* (ou estes homens) e *o homem*, e o relacionamento de insolução com o real se delineia como inerente à condição humana, esses versos deixando entrever, sob a máscara da galhofa, uma melancólica reflexão existencial.

Por envolver implicações dessa natureza, o conflito de "Os bens e o sangue", embora eivado de biografismo, supera a história do indivíduo e do grupo, e extrapola do tempo e do espaço. A estilização dos ancestrais em divindades oraculares intensifica a perspectiva trágica e drummondiana, por trazer à luz o conflito latente e transcendente entre o homem e uma ordem superior. Ascendendo ao questionamento do humano e do divino, propondo problemas existenciais e metafísicos que afligem o homem enquanto Homem, os conflitos do texto em análise preenchem um dos requisitos do trágico.

O coro da parte V desempenha a função de elemento mediador do conflito. Um conjunto de sinais estabelece seu parentesco com o coro da tragédia, a começar por sua atuação ambivalente — ora pedindo pelo menino, ora reiterando os vaticínios dos oráculos-patriarcas — na qual se projeta tanto a sua fidelidade ao herói quanto a sua inclusão na sociedade e ordem das quais o herói se vai separando.[20]

Composto de escravos, aproxima-se do coro trágico "por definição impotente",[21] em virtude do que geralmente é formado de servidores, mulheres e anciãos, desprovidos de poder no sistema social representado, e portanto incapazes de atuar diretamente na solução do conflito, para a qual não realizam ações propriamente, as suas falas e intervenções em cena valendo somente como tentativas de conciliação das forças em choque.

Sem levar em conta a fundamentação histórica nem a argumentação filosófica de Nietzsche, detendo-nos apenas na síntese conclusiva delas resultante — qual seja, a de que o coro da tragédia funciona como portador de consolação metafísica[22] — observa-se que o coro dos escravos cumpre essa função em nível referencial e formal condizente com a sua classe: "a praga que te rogo / para teu bem será."

Na parte VI, intervêm os agourentos urubus, homólogos das aves pressagas freqüentemente aludidas na tragédia como porta-vozes oraculares ou configurações de sinais dos deuses e do Fatum a serem decifrados pelos adivinhos. Vinculando ao destino individual do menino o destino coletivo da região, o coro dos urubus efetua o encadeamento indispensável à dinâmica trágica, que faz depender do herói a sorte do grupo (dependência que se confirmará na fala VIII).

A ação

Tanto no gênero quanto no desenvolvimento estrutural, a ação de "Os bens e o sangue" assemelha-se ao modelo trágico. Trata-se de uma ação destruidora e dolorosa, na qual se consubstancia o elemento patético da tragédia. Envolvendo pessoas da mesma família, antepassados e descendente, excita mais eficazmente o horror e a piedade.[23]

Ao indicar os fatores determinantes do terror e da compaixão, Aristóteles privilegia a composição das ações sobre os efeitos do espetáculo. Na medida em que subordina a produção desses sentimentos mais à estruturação interna do texto do que aos recursos de montagem, e na medida em que chega mesmo a autonomizá-los da representação teatral, de forma que "mesmo sem vê-los, quem ouve contar os fatos, estremece e é tomado de piedade",[24] a *Poética* possibilita a extensão do fenômeno trágico a gêneros e textos que não se destinam necessariamente à encenação. É o que sucede com "Os bens e o sangue": o leitor ou ouvinte vive a experiência trágica do horror e da piedade graças à organização da matéria e à composição da ação.

Queda, divindades, destino integram o modelo triádico de que se vale Drummond na elaboração estética de sua "confissão" em termos de conflito e ação trágicos.

Mais impacto causará o revés e mais patética será a queda quanto mais elevada a situação de que se precipita o personagem: os heróis trágicos pertencem ao mais alto nível da escala social e humana. Com a venda e a troca das minas, os antepassados lançam o "menino inda não nado" da posição de futuro herdeiro do poder e da riqueza da mineração para a "simples / condição ninguém". "Os bens e o sangue" responde portanto a uma das exigências da ação trágica: a dignidade da queda.[25]

Como na tragédia grega, os deuses do poema estão sujeitos à ordem da natureza e ao Fatum.[26] Também eles sofrem a queda: o documento de venda e troca das minas representa o declínio do clã, obrigado a substituir a mineração pela pecuária. Mas a personalidade orgulhosa e dominadora, típica do herói trágico, leva-o a não discernir a determinação histórica de sua queda e a interpretá-la como necessidade sublime e como decisão auto-suficiente. Como fundamento da decisão, a consciência da inexorabilidade do tempo, que consome e destrói todos os "bens", e a valorização da unidade espiritual do clã:

> somos levados menos por gosto do sempre negócio *q* no
> [sentido
> de nossa remota descendência ainda mal debuxada no
> [longe dos serros.
> De nossa mente lavamos o ouro como de nossa alma um
> [dia os erros
> se lavarão na pia da penitência. E filhos netos bisnetos
> tataranetos despojados dos bens mais sólidos e rutilantes
> [portanto os mais completos
> irão tomando a pouco e pouco desapego de toda fortuna
> e concentrando seu fervor numa riqueza só, abstrata e
> [una.

Essa perspectiva dos antepassados diante de sua queda é análoga à das classes em decadência das épocas trágicas, as quais "encontram consolo na idéia de que neste mundo toda grandeza e toda nobreza estão condenadas à ruína, e iluminam esta ruína com uma luz transfiguradora".[27]

A ideologia das personagens (e do poema) — sentimento heróico-feudal da vida e orgulho de estirpe — indicia o aristocratismo característico da tragédia. (Vale lembrar que os dois períodos de apogeu do gênero, Atenas do século V a.C. e Europa do XVI e XVII, situam-se num momento histórico-social em que uma aristocracia encontra-se em vias de perder sua supremacia efetiva, embora ainda beneficiando-se, no plano ideológico, de um incontestável prestígio.)

A queda trágica, porém, não corresponde somente à perda de uma situação de poder e comando; ela transpõe o âmbito do social, ferindo o herói na globalidade de seu ser e existência. Representa a queda de uma situação ilusória de felicidade[28] — a perda de uma inocência — e a experiência do desastre que o atinge em sua totalidade de vida.

A ação dos deuses-ancestrais não se limita a deserdar o menino, derrubando-o do mais alto patamar econômico-social da realidade representada no poema; ela se aplica a moldar-lhe o destino e a plasmar-lhe a personalidade, investindo-se de um significado que vai ao encontro de uma concepção da cultura grega presente na tragédia: a de que "o ser de um homem é uma grandeza previamente dada, irrevogavelmente determinada",[29] a herança transmitida por sua ascendência decidindo a sua natureza. Semelhante concepção da *physis*, implícita na ação, emerge ao nível do discurso na última fala dos antepassados:

> És nosso fim natural e somos teu adubo,
> tua explicação e tua mais singela virtude...

O modo pelo qual agem os ancestrais é "oblíquo" (ver II): a sua ação destruidora e dolorosa apenas na aparência é sinal de desamor, pois oculta uma preferência e uma eleição: escolhem o "menino inda não nado" para remir a queda do clã, concentrando-se a sua ação na morfologia deste eleito. "A eleição divina e a eleição trágica são ambas terríveis."[30] Eleição implica sacrifício. O eleito será sacrificado em favor da unidade e vitalidade do grupo; estas serão instauradas somente por um membro do grupo que dele seja diferente, pois requerem aptidão para outras atividades que não as "cavalhadas e os trabalhos brutais / com a faca, o formão, o couro..." (VIII)

Conseqüentemente, a eleição impõe ao menino uma individualidade que o fará entrar em choque com o seu contexto familiar e sociocultural, que o estigmatizará como "vergonha da família" (ver III), condenando-o à solidão, estado essencial do herói trágico.

O "jogo" trágico que preside à reelaboração literária da "confissão" drummondiana executa o seu lance de maior impacto na última parte do poema, quando se esclarece que a eleição do menino pelos antepassados impõe-lhe fundamentalmente a condição de poeta, pois as contradições transitoriedade-permanência, morte-vida, se resolverão na "poesia que se furta e se expande", reconstrução indestrutível "de tudo que foi grande". O preço do renascimento do clã: a trajetória existencial do eleito marcada pelo martírio.

A dialética do poema atualiza dois padrões básicos da tragédia: destruição e renovação, sacrifício e expiação.

Como na tragédia, a evolução do conflito de "Os bens e o sangue" apresenta dois momentos-acontecimentos decisivos: a peripécia e a anagnórisis.

A peripécia ou reviravolta registra-se na súbita (no tempo do poema) mudança em sentido inverso da situação do protagonista, o qual ascende da "condição ninguém" (IV) e do estado de "vergonha da família" (III) à condição suprema de redentor da família, a quem resgata da morte por assegurar-lhe a ressurreição e a perenidade na criação poética.

A peripécia, tal como praticada por Drummond, tece uma tácita intertextualidade entre o poema e a tragédia de Édipo. À semelhança do herói grego, o protagonista do texto se caracteriza por sua dupla condição excluído-eleito; ambos encarnam a figura do *pharmakos*: vítima expiatória, que é sacrificada para garantir a vitalidade do grupo. Ambos são personagens de duas faces: em Édipo, à face do bode expiatório contrapõe-se a do rei-divino, semi-deus, portador de uma qualificação religiosa;[31] ao estatuto de bode expiatório, o protagonista de "Os bens e o sangue" contrapõe o de detentor de um atributo análogo ao dos deuses — o poder da criação, que imortalizará os antepassados na palavra poética.

Nas duas representações — a de *pharmakos* e a de eleito — Édipo e o poeta-protagonista são responsáveis pela saúde coletiva do grupo.

Ao definir o destino do menino como "fado extra-ordinário" (III), Drummond imprime a essa polaridade uma formulação sintética, a que não falta um toque de humor. Ao bipartir o adjetivo, assim transgredindo a norma lingüística, o poeta nele injeta duplicidade de significação: o fado do menino é mais do que ordinário, mais do que comum e insignificante, e, ao mesmo tempo, é fora do comum, excepcional, notável.

Tanto na tragédia quanto em "Os bens e o sangue", a significação da peripécia não se esgota na radical mudança de situação do protagonista. Fenômeno complexo por suas múltiplas implicações, ela diz respeito à relação do homem com os seus atos e designa o efeito de uma ação em direção contrária à pretendida pelo agente. Ela ocorre no poema na articulação entre a parte VII e a VIII. Em VII o menino age: nega os antepassados, proclamando a sua diferença frente a eles; em VIII constata-se, por voz dos ancestrais, que a negação se inverte e reverte em afirmação, pela tácita concordância do protagonista com a revelação de que sua diferença — sua identidade pessoal — não é senão a atualização de um dos possíveis da identidade do grupo ancestral.

No poema "A mesa" (CE), centrado na figura do pai, Drummond tematiza de forma mais explícita a ambivalência negação-afirmação: "Não importa: sou teu filho / com ser uma negativa / maneira de te afirmar."

A anagnórisis ou reconhecimento consiste na passagem do estado de desconhecimento para o de conhecimento e envolve questões da identidade do herói trágico.

Em "Os bens e o sangue" ela se processa na passagem da fala VII — "Os parentes que eu amo expiraram solteiros. / Os parentes que eu tenho não circulam em mim." — à fala VIII: a voz dos ancestrais deixa implícito que o poeta-protagonista reconhece amorosa e espiritualmente os antepassados sangüíneos, restabelecendo-se o equilíbrio laços de sangue = laços de amor, que fora rompido.

Na descoberta de uma identidade afetiva e filiação espiritual reside a originalidade da prática da anagnórisis no poema, visto que a descoberta de uma identidade sangüínea constitui o caso de reconhecimento mais freqüente na tragédia. Essa originalidade não desfigura a natureza do fenômeno, em algumas edições da *Poética* relacionado com as significações de amor e ódio, em outras amplamente conceituado.

O reconhecimento amoroso, que é acionado em "Os bens e o sangue" como fator estruturante da ação dramática e da configuração trágica, elabora-se como *leitmotiv* recorrente na lírica de Drummond que rememora a figura do pai.

Em "Viagem na família" (J), qual outro e diferente Virgílio, o pai guia o poeta em sua incursão no espaço do passado e da morte: "No deserto de Itabira / a sombra de meu pai / tomou-me pela mão". O traço mais relevante na caracterização do filho é o seu empenho em obter do pai uma palavra esclarecedora a respeito da relação entre eles: "Gritei-lhe: Fala!" Esse empenho é enfatizado pela eloqüente repetição: "Fala fala fala fala." A reiterada ocorrência do verso "Porém nada dizia", que aparece oito vezes, quase sempre em posição privilegiada de fecho de estrofe, e sua variante "Porém ficava calada" conferem valor de emblema ao silêncio do personagem paterno, que ganha assim conotações de representação enigmática. O personagem do filho consegue no entanto extrair um significado desse silêncio: "Senti que me perdoava / porém nada dizia."

A relação problemática entre os dois protagonistas e o conflito que os separara em vida resolvem-se na descoberta recíproca de seus modos-de-ser e no mútuo reconhecimento amoroso, retardados pela falta, em cada um deles, do conhecimento de si mesmo e do outro. No dístico final, fundem-se na metáfora "águas" uma alusão ao fluxo do tempo e uma significação mítica, evocadora da totalidade indiferenciada do caos, imagem arquetípica da unidade familiar, restaurada graças à anagnórisis: "As águas cobrem o bigode, / a família, Itabira, tudo."

O poema "Perguntas" (CE) nomeia de "enigma" e de "segredo" o fato de a imagem do pai ser uma presença constante na memória e sensibilidade do filho. Este, mais uma vez, tem como traço distintivo a obstinação em desvendar o "segredo" e decifrar o "enigma" (a forma verbal "perguntei" repete-se quatro vezes). É o "fantasma" do pai quem lhe reaviva a consciência de sua origem rural, instigando-o portanto a deter-se na questão de sua identidade. Também neste poema o silêncio é atributo constitutivo da figura paterna; ele encerra, no entanto, uma resposta às indagações do filho, resposta que consubstancia um "mistério" e que exprime, em fórmula sentenciosa e concisa, o tardio reconhecimento amoroso: "Amar, depois de perder."

De todos os poemas relativos ao pai, "Como um presente" (RP) sobressai como o mais rico em fatos e episódios representativos de sua autoridade patriarcal e de sua personalidade poderosa, retratada pelo filho como possuidora de excepcional carisma — traços que o tornavam capaz de exercer "domínio total" sobre a família e a comunidade.

Coexistem no poema sutilmente imbricadas as perspectivas do filho quando menino e quando adulto. É possivelmente aquele carisma que o sujeito poético, assumindo a perspectiva infantil, chama de "teu segredo", que o filho maduro obsessivamente insiste em descobrir (o referido sintagma se repete cinco vezes ao longo do texto). O silêncio, dado recorrente na recriação da figura paterna, contém significações latentes, no final apreendidas pela personagem do filho.

O movimento negação-afirmação, que na estrutura dramática de "Os bens e o sangue" assinala a reviravolta da situação, adquire aqui modulação própria: a negação é poeticamente vivenciada apenas como aspiração e desejo, que não chegam a consumar-se em fato, pois a afirmação — a anagnórisis espiritual e amorosa — se impõe como realidade mais forte:

> Quisera abandonar-te, negar-te, fugir-te,
> mas curioso:
> já não estás, e te sinto,
> não me falas e te converso.
> E tanto nos entendemos, no escuro,
> no pó, no sono.

Os poemas que focalizam o motivo do reconhecimento apresentam alguns elementos invariantes, dos quais se depreendem a composição da figura paterna como personagem enigmática e a caracterização do filho como personagem que se investe da função ou missão de interpretar este enigma. Cabe a ele entender o que "os lábios cerrados" (CE) não falam, compreender o modo de ser do pai "lendo-lhe a face, ruga a ruga" ("Encontro", CE) e elucidar o enigma, transformando-o em *claro enigma*. Tacitamente lhe é atribuída, portanto, a condição de eleito.

De tal modo a anagnórisis afetiva e espiritual se afirma como núcleo significativo dos textos sobre a família, que se projeta no título geral da seção concernente ao tema: "A família que me dei." E é possível surpreendê-la, mesclada de auto-ironia e humor, no título do livro *Fazendeiro do ar*, que obliquamente constata o reconhecimento, na identidade do poeta, de resíduos da identidade rural do grupo familiar.

"Bota", de *Menino antigo*, funde os motivos da queda e do reconhecimento, aos quais se aliam o da eleição e o da dimensão mítica do pai, reagrupando-se o mesmo conjunto simbólico de "Os bens e o sangue":

> A bota enorme
> rendilhada de lama, esterco e carrapicho
> regressa do dia penoso no curral,

no pasto, no capoeirão.
A bota agiganta
seu portador cansado mas olímpico.
Privilégio de filho
é ser chamado a fazer força
para descalçá-la, e a força é tanta
que caio de costas com a bota nas mãos
e rio, rio de me ver enlameado.

Apesar das diferenças de perspectiva e estrutura, ressalte-se ainda a afinidade semântica entre os dois poemas: por meio da queda estabelece-se a identificação do menino com o pai, identificação telúrica e amorosa, a lama funcionando no texto como signo de participação no mundo rural, reconhecimento fonte de alegria.

Em "Os bens e o sangue", a anagnórisis e a peripécia, esta em suas duas acepções e mais particularmente na primeira, ocorrem simultaneamente, uma contendo a outra. (A título de informação suplementar: Aristóteles valoriza em *Édipo-Rei* a coincidência dos dois fenômenos, afirmando que "o mais belo reconhecimento é aquele que é acompanhado de peripécia."[32])

O conflito do poema, nos dois níveis, manifesto e latente, dramatiza algumas das "potências substanciais" apontadas por Hegel como propiciadoras do "verdadeiro conteúdo da ação trágica": o amor dos pais pelos filhos e dos filhos pelos pais; a vida pública; a vontade dos chefes; "a vida religiosa... sob a forma de uma intervenção ativa nos interesses reais e de uma busca ativa destes interesses".[33]

A *hamartia* e a *hybris*

No capítulo XIII da *Poética*, Aristóteles assinala como causa da queda trágica uma falha ou erro — *hamartia* — do herói, explícita e reiteradamente desvinculando-a de qualquer motivação de ordem moral, antes configurando-a como erro de julgamento inerente ao homem, como signo da falibilidade de sua condição.

O fato de pertencer a vítima à mais alta categoria social, e de destacar-se por seus atributos excepcionais, nesse sentido distanciando-se da média do público, mais enfatiza a identificação da *hamartia* como conseqüência da própria natureza do homem, visto que até os indivíduos mais heróicos e afortunados nela podem incorrer. Se por um lado o protagonista encarna a atualização exemplar das potencialidades humanas, a sua queda evidencia, por outro, as limitações de sua humanidade. Porque a catástrofe implica um doloroso processo de autoconscientização do indivíduo enquanto particularização de uma categoria geral, "a tragédia representa a forma patética da Sofia".[34]

A prospecção do eu enquanto ocorrência particular da entidade homem, iniciada em "Poema de sete faces" (AP) — "Meu Deus, por que me abandonaste / se sabias que eu não era Deus / se sabias que eu era fraco." — e continuada ao longo da produção poética drummondiana, envolve uma série de reflexões que se constelam numa "inteligência do universo" basicamente trágica.

Como núcleo da constelação, o homem em estado de carência, de falta de, frágil e falível, condenado à cegueira no plano do conhecimento, impelido portanto ao erro, a partir mesmo das duas contingências obscuras que lhe demarcam o trajeto existencial:

> E cada instante é diferente, e cada
> homem é diferente, e somos todos iguais.
> No mesmo ventre o escuro inicial, na mesma terra
> o silêncio global, [...]
>
> ("Os últimos dias", RP)

Falha implícita no modo de ser do homem e no seu estar-no-mundo, a amartia situa-se, reitere-se, no centro da cosmovisão do poeta, objetivando-se em formas várias — fragilidade, finitude, parcialidade de visão, limitação no agir e conhecer — e recorrentemente metaforizando-se em opacidade e escuridão.

Em "Opaco" (CE), por exemplo, Drummond conclui que o obstáculo à visão de um espaço transcendente não se localiza fora do homem nem é acidental, mas sim é parte integrante de sua condição essencial:

> Noite. Certo
> muitos são os astros.
> Mas o edifício
> barra-me a vista.
> ....
> Nada escrito no céu,
> sei.
> Mas queria vê-lo.
> O edifício barra-me
> a vista.
> ....
> Assim ao luar é mais humilde.
> Por ele é que sei do luar.
> Não, não me barra
> a vista. A vista se barra
> a si mesma.

E em "Quarto escuro" (MA) um episódio da infância transfigura-se em imagem da *hamartia* enquanto impossibilidade cognoscitiva, no termo "antigos" fundindo-se duas significações, que remetem tanto às autoridades familiares do conteúdo manifesto, quanto a instâncias superiores do conteúdo latente, que aponta para a circunstância existencial do homem — condenado ao desconhecimento do eu e do não-eu:

> Por que este nome, ao sol? Tudo escurece
> de súbito na casa. Estou sem olhos.
> Aqui decerto guardam-se guardados
> sem forma, sem sentido. É quarto feito
> pensadamente para me intrigar.
> ....
> O quarto escuro em mim habita. Sou
> o quarto escuro. Sem lucarna.

Sem óculo. Os antigos
condenam-me a esta forma de castigo.

(Os episódios narrados em *Menino antigo* têm interesse e validade em si mesmos, mas o tratamento da matéria representada e a leitura intertextual autorizam o leitor a deles inferir um "significado extra-noticial", compondo-se o poema de duas camadas de significação que ambiguamente se imbricam e o episódio narrado ganha ilações existenciais e metafísicas.)

Da forte incidência de palavras do campo semântico *visão* precedidas de signos de negatividade, e do metaforismo organizado em torno da noção de *escuridão*, infere-se que na linguagem poética de Drummond a cegueira se institui como imagem fulcral das limitações do homem, da sua *hamartia*, que pode no entanto desdobrar-se em outras imagens:

Mundo desintegrado, tua essência
paira talvez na luz, mas neutra aos olhos
desaprendidos de ver; e sob a pele
que turva imporosidade nos limita?
("Canto órfico", FA)

Em conseqüência da cegueira cognoscitiva, o homem ignora a sua própria medida: "Que metro serve / para medir-nos?"

Assim formulada explicitamente em "Perguntas em forma de cavalo marinho" (CE), esta é a indagação crucial que se propõe, muitas vezes tácita e subjacentemente, grande parte da obra de Drummond.

Como resposta, a tensão entre duas posições: de um lado a exorbitação individualista, que afirma encontrar-se no próprio eu a medida do homem; de outro, a concepção antipersonalista, que descobre a medida do homem na sua relação com uma totalidade que o transcende.

Com a primeira — "Mundo mundo vasto mundo, / mais vasto é meu coração." ("Poema de sete faces, AP) — Drummond incorre na forma peculiar da *hamartia* trágica: na *hybris*, desmedida do herói, que transgride os limites de sua condição ao proclamar a autonomia da própria particularidade, assim convertida em medida do real.

Com a segunda — "Não, meu coração não é maior que o mundo. / É muito menor." ("Mundo grande", SM) — o poeta corrige o erro da *hybris*, e formula originalmente a lição do aprendizado trágico, que redimensiona o homem, reduzindo-o às justas proporções de parcela de uma totalidade, de manifestação, na ordem da multiplicidade, de uma unidade que o engloba.

Em "Breves observações sobre o sentido e a evolução do trágico", Gerd Bornheim sintetiza a questão fundamental levantada pela tragédia:

> Em última análise, toda tragédia quer saber qual é a medida do homem. Toda tragédia pergunta se o homem encontra a sua medida em sua particularidade ou se ela reside em algo que o transcende; e a tragédia pergunta para fazer ver que a segunda hipótese é a verdadeira. O não reconhecimento dessa medida do homem acarreta, pois, o trágico.[35]

Organizando-se em torno do eixo de oposições medida do homem na própria individualidade-medida do homem na sua relação com instâncias que o transcendem, o sistema semântico da poesia de Drummond se ergue e constrói a partir de um fundamento trágico.

Com sua filosofia centrada no processo multiplicidade-unidade cósmica, Anaximandro é um pensador básico para a compreensão da *hybris*:[36]

> Aí, de onde vem a geração dos seres, também se realiza a sua dissolução, segundo uma lei necessária, pois eles devem pagar reciprocamente a culpa e a pena da injustiça na ordem do tempo.[37]

Anaximandro identifica portanto a multiplicidade com injustiça e culpa, que só se repara e expia pela reintegração do múltiplo na unidade. Heráclito interpreta igualmente a pretensão à autonomia da multiplicidade como foco gerador de erro e desequilíbrio.

Um exacerbado egotismo percorre a obra de Drummond, manifestando-se inclusive em *A rosa do povo*, livro ápice de seu engajamento político-social. Essa hipertrofia da individualidade, porém, é vivenciada poeticamente como crime e culpa. Se a sensação de separação ontológica entre o sujeito e o universo radica no cerne mesmo de sua poesia, o poeta no entanto "anda à procura / dessa unidade áurea que perdemos" ("Canto órfico", FA) e se empenha em deixar-se possuir pelo sentimento do mundo.

"Um boi vê os homens" (CE), espécie de súmula da *hamartia*, atualizada sob diversas formas no conjunto de atributos que o boi descobre no homem, reconhece a marca da condição humana na cegueira da *hybris*, em virtude da qual os homens não percebem a unidade essencial existente sob a aparente multiplicidade e diversidade do cosmo:

> [...] Coitados, dir-se-ia não escutam
> nem o canto do ar nem os segredos do feno,
> como também parecem não enxergar o que é visível
> e comum a cada um de nós, no espaço. [...]

O poeta paga um alto preço por enovelar-se na própria particularidade, o remorso decorrente desse movimento concretizando-se em imagens de expiação, automutilação e conseqüente redenção.[38] Como meio de superar o egocentrismo, Drummond busca identificar-se com o outro pela participação em sua problemática social, dessa forma tentando alcançar uma experiência específica de unidade: "Venceste o desgosto, / calcaste o indivíduo, / já teu passo avança / em terra diversa." ("Uma hora e mais outra", RP) Ainda no nível do social, na utopia de "Cidade prevista" (RP) aspira a uma ordem que resolva a tensão subjacente nos conflitos trágicos: "um jeito só de viver, / mas nesse jeito a variedade, / a multiplicidade toda / que há dentro de cada um." Em "Os últimos dias" (RP), conquista outra forma de unidade, agora no nível existencial — "E cada instante é diferente, e cada / homem é diferente, e somos todos iguais."

E em "Relógio do Rosário" (CE) Drummond transpõe o abismo entre o eu e o universo e vive dionisiacamente no plano cósmico a síntese particularidade-unidade ensinada pela sabedoria trágica:

> Era tão claro o dia, mas a treva,
> do som baixando, em seu baixar me leva
>
> pelo âmago de tudo, e no mais fundo
> decifro o choro pânico do mundo,
>
> que se entrelaça no meu próprio choro,
> e compomos os dois um vasto coro.
>
> Oh dor individual, afrodisíaco
> selo gravado em plano dionisíaco,
>
> ....
> dor do espaço e do caos e das esferas.
> do tempo que há de vir, das velhas eras!

Retomando nossa proposição: no sistema da obra de Drummond, "Os bens e o sangue" vale como espaço poético de convergência e concentração da sua inteligência trágica do universo. Na medida em que se estrutura a partir da tensão entre duas forças, individualismo-antiindividualismo, essa inteligência contém uma potencialidade dramática, marca geral da produção do autor. A organização da matéria em termos de conflito entre forças personificadas e de ação destruidora e dolorosa caracteriza o poema em exame quer como realização radical daquelas virtualidades dramáticas, quer como forma patética do saber trágico drummondiano.

Em "Os bens e o sangue" a *hamartia*, entendida genericamente como cegueira cognoscitiva, é agenciada dramaticamente, inserindo-se no conflito e na ação: ao acreditar-se afetiva e espiritualmente desligado do clã (VII), o poeta-protagonista comete um erro de julgamento, incorrendo no desconhecimento do próprio eu. Também a *hybris*, modalidade específica da *hamartia*, é acionada dramaticamente: no repúdio aos antepassados revela-se a desmedida do poeta-personagem, que superdimensiona a sua individualidade, sem dar-se conta de que ela representa tão-somente um dos modos possíveis de manifestação do ser do grupo familiar. Ao negar os ancestrais, o "menino inda não nado" incorre no erro trágico, tal como o apresenta Gerd Bornheim:

> Heráclito diz que a sabedoria consiste em "agir conforme a natureza, ouvindo a sua voz". A recusa em ouvir a voz da *physis* ou a teimosia da multiplicidade que se afirma como independente e se recusa a confessar a unidade de todas as coisas (Heráclito, fr. 50), é o princípio do *pseudos*, do erro, gerador de culpa e injustiça. A compreensão da sabedoria como um saber escutar a voz do ser é um patrimônio comum da filosofia pré-socrática.[39]

O doloroso processo existencial de descoberta da própria identidade — que constitui o substrato temático de "Os bens e o sangue" — e que é sintetizado na anagnórisis implica o reconhecimento da natureza do poeta como entrelaçamento de unidade e multiplicidade, descobrimento retardado por sua *hybris*, maximização da própria particularidade, que se acredita independente do conjunto ancestral, enfatizando no múltiplo seus componentes de diferença em detrimento dos componentes de semelhança que o vinculam à una fonte originária.

O poeta repara a culpa da *hybris* pela reintegração no grupo familiar, a qual parece impor-se como condição prévia e estágio necessário para a identificação com outros grupos (ver VII) ou aspiração à unidade em outros níveis, pois somente a partir de sua ligação com as origens pode ele definir-se a si próprio, acercar-se do problema da existência e relacionar-se com o mundo. Essa é a conclusão que se extrai dos poemas de Drummond sobre a família, e que é sugerida por "Especulações em torno da palavra homem" (VPL):

> Como se fazer
> a si mesmo, antes

de fazer o homem?
Fabricar o pai
e o pai e outro pai

e um pai mais remoto
que o primeiro homem?

"Os bens e o sangue" afirma portanto a dependência da subjetividade com uma realidade substancial e objetiva (no caso a família), relação que, segundo Kierkegaard, caracteriza a tragédia antiga, na qual "embora o indivíduo aja livremente, depende não obstante de determinações substanciais, do Estado, da família, do destino". Na tragédia moderna, ao contrário,

> o herói trágico está subjetivamente voltado para si mesmo, o que o expulsou não somente de todo contato direto com Estado, família e destino, mas freqüentemente também de sua própria vida anterior... A tragédia moderna não tem portanto nenhum primeiro plano épico, nem nenhuma herança épica.[40]

No poema em análise, como na obra de Drummond em termos gerais, constata-se a herança épica presente no trágico antigo.

O desenlace (fala VIII) descobre a *physis* do poeta-protagonista, oculta num modo-de-ser aparentemente contrário ao de suas origens:

Ó filho pobre e descorçoado, e finito
Ó inapto para as cavalhadas e os trabalhos brutais
com a faca, o formão, o couro... [...]
....
És nosso fim natural e somos teu adubo,
tua explicação e tua mais singela virtude...

Nessa descoberta da verdade pelo destecer de uma aparência que privilegia a particularidade em prejuízo da unidade,[41] encerra-se uma sabedoria básica da tragédia grega, expressa por Sófocles na fórmula: "Tornaste visível, meu filho, o modo de ser do qual surgiste."[42] Estas palavras de Filoctetes a Neoptolemo são aplicáveis a "Os bens e o sangue".

Ao fim do processo tipicamente trágico de conhecimento do eu através da dor, o poeta-protagonista alcança a sua verdadeira medida na conciliação das duas categorias em jogo no conflito, localizando-a na interação da sua individualidade com uma instância que a transcende: a "riqueza só, abstrata e una" do sangue.

A noção de *physis* aparece repetidas vezes na poesia de Drummond. Em "A mesa" (CE), surge com a mesma dialética negação-afirmação, processando-se igualmente a síntese oposição-identidade entre filho e pai: "não importa: sou teu filho / com ser uma negativa / maneira de te afirmar." "Especulações em torno da palavra homem" (VPL) retoma o conceito em termos de pergunta sobre a alteração da *physis* ao longo do roteiro vital: "e o sal que ele come / nada lhe acrescenta // nem lhe subtrai / da doação do pai?". "A um varão que acaba de nascer" (CE), poema em que ocorre a fusão de dois motivos — a *physis* e a *hamartia* — questiona e problematiza a atualização, na experiência existencial do homem, da sua constelação de possíveis previamente desenhada na *physis*:

> Como saber que foi
> nossa aventura, e não
> outra, que nos legaram?
> No escuro prosseguimos.
> Num vale de onde a luz
> se exilou [...]

Superestimando um eu que não conhece os seus limites, a *hybris* pode manifestar-se sob as formas de orgulho, arrogância, prepotência, imoderada autoconfiança, especialmente ressaltadas na tragédia grega. Na composição dos personagens-ancestrais, Drummond reúne uma série de índices dessas modalidades de desmedida, que lhes definem o ser e o agir. Já no segundo verso do documento registra-se a sugestão de orgulho — "casas de rei, *q.* não de valete" — reiterado e modulado em abusivo sentimento de propriedade, que os leva a encarar a própria paisagem com perspectiva senhorial, incorporando-a ao seu serviço e interesse. A estilização em divindades funciona como signo de sua vontade que se pretende onipotente e do desmesurado exercício do poder, que a todos submete, egoisticamente traçando-lhes o destino.

Semelhante comportamento pressupõe uma ilimitada confiança na estabilidade do próprio poderio. Nesse sentido, a queda do clã ultrapassa a esfera do puramente econômico, revestindo-se de significação mais ampla: a perda de um mundo ilusório de segurança e a experiência da inflexibilidade da lei cósmica de dissolução no tempo.

(O poema executa portanto a variação trágico-dramática do tema obsessivo de Drummond — "O tempo é a minha matéria" ("Mãos dadas", SM) — que penetra praticamente todas as seções de sua poesia, convertendo-a em vasta e contínua reflexão sobre a ação do tempo no homem e no mundo).

Se tomam consciência da destruição de toda grandeza pela dinâmica do tempo, os antepassados compreendem igualmente que esse incessante fluir temporal cria novas formas de vida. Elaborados como personagens trágicos, vivenciam a sua decadência em termos de autodecisão e de autodeterminação de fecundar outras manifestações vitais — a poesia do descendente — que assegurem a permanência do transitório. Não só na *hybris* do menino, mas também na dos ancestrais, observa-se portanto a ambivalência destruição-construção, negatividade-positividade, queda-bênção.[43]

Com a *hybris* do poeta-protagonista e dos personagens-antepassados, Drummond promove o agenciamento dramático da sua inteligência dialética do universo, que opera a síntese dos contrários diferença-identidade, multiplicidade-unidade, morte-vida, mudança-permanência.

Essas antinomias encontram-se subjacentes na tragédia grega, na qual parece projetar-se o pensamento de Heráclito, que as resolve dialeticamente.

O fluxo incessante das coisas e do sujeito cognoscitivo é um dado fundamental na cosmovisão de Drummond: "nem esta árvore / balança o galho / que balançava." ("Ontem", RP); "e cada folha é uma diferente. // E cada instante é diferente [...]" ("Os últimos dias", RP); "A água que corre / já viu o Borba. / Não a que corre, / mas a que não pára nunca / de correr." ("Sabará", AP)

Essa concepção vai ao encontro do princípio do fluxo universal dos seres, primeiro momento da filosofia de Heráclito:

> Não é possível descer duas vezes no mesmo rio, nem duas vezes tocar uma substância mortal no mesmo estado; mas pelo ímpeto e a velocidade da mutação (se) dispersa e novamente se reúne, e vem e desaparece (fr. 91). A quem desce os mesmos rios, alcança-os novos e novas águas (fr. 12). Descemos e não descemos em o mesmo rio, nós mesmos somos e não somos (fr. 49).[44]

A tragédia aproxima-se ainda da especulação de Heráclito na oposição entre, de um lado, o fluxo universal enquanto dado empírico e, de outro, a exigência da razão e a necessidade religiosa da unidade permanente, satisfeita somente pela fé e autoconsciência.[45]

"Os bens e o sangue" propõe a reconciliação dos termos mudança-permanência, a dissolução de "tudo que foi grande" sendo superada pela unidade do clã, conquistada ao fim do processo de autoconhecimento do poeta-protagonista.

O poema se destaca — reitere-se — como espaço privilegiado de concentração da inteligência e do sentimento trágicos do mundo sobre os quais se alicerça a poesia de Carlos Drummond de Andrade. A cosmovisão nele dramatizada é homóloga à doutrina da tragédia, tal como Nietzsche a resumiu:

> [...] unidade fundamental de tudo que existe, individuação concebida como fonte do mal, esperança alegre de que os grilhões da individuação serão rompidos e pressentimento de uma unidade restaurada — esperança e pressentimento que se traduzem na arte.[46]

O destino

No homem consciente de sua irrecorrível implicação nas situações reside outra afinidade entre o saber trágico e o saber drummondiano:

> Este é de resto o mal
> superior a todos:
> a todos como a tudo
> estamos presos. [...]
> ("A um varão, que acaba de nascer", CE)

Na tragédia, tais situações se distinguem como situações-limite pela tomada de consciência do herói da impossibilidade de suprimi-las e substituí-las por outras: não foi ele quem as criou; elas são o que são em virtude de um dado que lhe escapa.[47] Ao constatar a irreversibilidade das situações em que se encontra implicado, a consciência da própria identidade torna-se extremamente dolorosa para o homem e ele preferiria não ser quem é:

> A identidade do sangue age como cadeia,
> fora melhor rompê-la. Procurar meus parentes na Ásia,
> onde o pão seja outro e não haja bens de família a
> [preservar.
> Por que ficar neste município, neste sobrenome?
> Taras, doenças, dívidas; mal se respira no sótão.
> Quisera abrir um buraco, varar o túnel, largar minha
> [terra,
> passando por baixo de seus problemas e lavouras, de
> [eterna agência do correio,
> e inaugurar novos antepassados em uma nova cidade.
> ("Como um presente", RP)

"Os bens e o sangue" apresenta a situação básica do herói trágico: o poeta-personagem não pode escolher não ser quem é. Se na parte VII pensa escolher, ao repudiar os antepassados e negar sua identidade espiritual e afetiva, no final descobre e reconhece, por voz dos ancestrais, ser exatamente o contrário do que acreditava e parecia ser. A sua liberdade restringe-se a assumir a sua condição de objeto de uma escolha, a partir do que se transforma em sujeito de escolhas.[48] Na estilização trágica da matéria autobiográfica empreendida no poema, o poeta-protagonista, ainda que o questione, assume seu papel de eleito e bode expiatório da família e cumpre a missão que lhe fora predestinada pelos antepassados: redimi-los da decadência e morte, promover a comunhão e assegurar a perenidade do grupo familiar pela poesia. Concluindo pela impossibilidade de abolir suas circunstâncias existenciais determinantes, ele as incorpora à própria vontade, decidindo-se a vivê-las conscientemente. É nessa decisão que se manifesta a sua liberdade, similar à do protagonista da tragédia:

> A liberdade trágica que é a do herói não é a escolha de qualquer possível entre os possíveis. Orestes, aceitando ser Orestes, olha de frente o fato de ser determinado por aquilo que o precede e escolhe ser conscientemente, ativamente, determinante do que se segue.[49]

Em "Banho de bacia" (MA), Drummond retoma a problemática implícita em "Os bens e o sangue": colisão inicial e identificação final entre, de um lado, uma circunstância que se instala fora do controle do homem e, de outro, a sua vontade, que se exerce quando ele resolve assumir a circunstância, dessa forma fazendo-a sua e governando-a:

> No meio do quarto a piscina móvel
> tem o tamanho do corpo sentado.
> Água *tá* pelando! mas quem ouve o grito
> deste menino condenado ao banho?
> Grite à vontade.
> ....
> O mundo é estreito. Uma prisão de água
> envolve o ser, uma prisão redonda.
> Então me faço prisioneiro livre.
> Livre de estar preso. Que ninguém me solte
> deste círculo de água, na distância

de tudo mais. O quarto. O banho. O só.
O morno. O ensaboado. O toda-vida.

Nessa identificação, define-se o destino do herói trágico.

Como muitos outros poemas de *Menino antigo*, "Banho de bacia" sugere dois níveis de leitura. O primeiro presentifica um episódio da infância representativo do seu contexto familiar; o segundo confere "significado extra-noticial" ao episódio, tornando-o representativo do estar-no-mundo do sujeito; à dimensão sociológica superpõe-se pois uma dimensão ontológica, que possibilita ler-se o texto também como expressão de uma "visão, ou tentativa de, da existência", na qual afloram questões pertinentes à categoria do trágico: a condição ambígua do homem objeto de escolha-sujeito de escolha, a relação do agente com suas ações, a tensão entre necessidade e liberdade, o papel do destino.

"Banho de bacia" exemplifica de forma categórica a teoria da dupla motivação proposta por Albin Lesky[50] para definir os limites da liberdade do herói trágico, aquilatar o peso do destino e avaliar o poder de instâncias superiores: o protagonista defronta-se com uma necessidade exterior que o compele e coage, mas, por uma decisão e atuação próprias de seu caráter, ele se apossa dessa necessidade e a faz sua, a ponto de querer com veemência aquilo que, num outro sentido, é constrangido a fazer.

No jogo trágico de "Os bens e o sangue" a dupla motivação não se mostra com tanta clareza quanto em "Banho de bacia", parecendo esmaecer-se o papel da deliberação do poeta-protagonista e fortalecer-se o da intervenção do grupo familiar. Tal atenuação decorre em parte do fato de não ser explicitada a adesão cabal do "menino inda não nado" aos desígnios dos ancestrais, a quem cabe a última fala do poema. Nesse sentido, a sua estilização em divindades oraculares compõe uma metáfora radical da perspectiva de Drummond frente aos antepassados, esparsa ao longo de sua poesia: ele como que lhes atribui estatuto divino e os cultua como potências sagradas, que inspiram "terroramor", que presidem à constituição de seu ser e nas quais radica o significado de seu percurso existencial:

Lá onde não chegou minha ironia,
entre ídolos de rosto carregado,
ficaste, explicação de minha vida,
como os objetos perdidos na rua.
("Versos à boca da noite", RP)

O motivo do destino, imprescindível à reflexão trágica sobre o ser e o mundo, reaparece em "Signo" e "Brasão", de *Boitempo*. No primeiro, o destino parece delinear-se como força coercitiva que se origina no íntimo do sujeito, que o assedia desde dentro, comandando-o por inteiro. A imagem do "escorpião", signo zodiacal de Drummond, funciona como emblema da condição ambígua "mordido e mordente". A dupla motivação é suprimida por completo, anulando-se portanto a margem de escolha e liberdade do sujeito. Este, embora impotente diante do inexorável, não se comporta como vítima passiva e resignada, atitude que seria incompatível com a dimensão trágica da poesia de Drummond.

Em "Brasão" (B), o motivo do destino funde-se ao da anagnórisis ou reconhecimento do grupo familiar, o qual volta a ser interpretado como instância modeladora da identidade do poeta. Como em "Os bens e o sangue", a ação do clã efetua-se de modo ambíguo e oblíquo, conotando ao mesmo tempo violência e amor e deixando entrever o motivo da eleição.

A situação de contigüidade imediata dos dois poemas põe em relevo o diálogo entre eles e não deve se descartar a hipótese de que, a par da relação de complementação, verifique-se entre os dois uma relação de correção. Levando-se em conta que "Brasão" reitera a anagnórisis tão presente na poesia de Drummond, seria ele que faria uma sutil retificação de "Signo", ao religar o destino do poeta, ainda quando traçado pela dinâmica interna das inclinações do indivíduo, à coesão do grupo familiar, potência sagrada que exerce o seu domínio a partir da própria interioridade do descendente. A anagnórisis reintroduz a dupla motivação e a conseqüente ambigüidade objeto de escolha-sujeito de escolha e se realiza à maneira de epifania.

Os Arquétipos Bíblicos

Reitera-se o "jogo" trágico que norteia a reelaboração estética da matéria autobiográfica em "Os bens e o sangue" quando se percebe outra de suas regras estruturais: a inserção, no discurso poético-dramático, de figuras arquetípicas da Bíblia, que desse modo se define como segunda matriz da estilização empreendida no poema.

Na mimese do sacrifício desenha-se o amplo *pattern* comum à tragédia e aos relatos bíblicos. Com essa perspectiva, Maud Bodkin analisa alguns heróis trágicos — Édipo, Hamlet, Lear — registrando-lhes o parentesco com o Cristo e concluindo que

> as religiões de mistério, como os dramas trágicos de Sófocles e Shakespeare, e como as narrativas do Evangelho, são penetradas e em parte moldadas por forças ativas no seio da relação do indivíduo com a sociedade, projetando-se a si mesmas como o modelo trágico de sacrifício ou de renascimento.[51]

Outras semelhanças entre as duas formas de expressão: a mobilização do terror e da piedade no público e o tema da queda como núcleo dramático narrativo.

Adão

Com o discurso alusivo da parte IV, Drummond introduz no poema o mito da expulsão do paraíso. A associação entre o menino e Adão, personagem arquetípica da queda, estabelece-se portanto no interior do próprio texto.

Na síntese, na sintaxe e no emprego do futuro com valor imperativo, a estrutura frasal segue o modelo bíblico de sentenças que exprimem ordem-maldição, indiciando o registro conotativo da fala e funcionando como elemento reafirmador da estilização dos antepassados em divindades, hipérbole de sua atuação condicionante na formação do *gauche* "fazendeiro do ar".

Observa-se a intertextualidade com o discurso bíblico também no paralelismo semântico, que se efetua ora em regime de oposição — "o menino inda não nado" "não lavrará campo" e "de nudez se veste", ao contrário de Adão (cf. Gênesis, 3, 23 e 3, 7) — ora em regime de semelhança, na glosa poética pessoal dos significados-motivos básicos da maldição divina: *subsistência* ("tirará sustento / de algum mel nojento"); *desobediência* ("não se sujeitando / a um poder celeste"); *errância* ("e seu passo tíbio / sairá na cola / de nenhum caminho", errância antecipada em II no bissêmico sintagma "mala-sorte"); *criação-sofrimento* ("sofrerá tormenta / no melhor momento").

As correlações entre a fala IV e o relato da queda de Adão e Eva são, pois, numerosas e pertencentes a níveis diversos, podendo-se dizer que a articulação entre o discurso de Drummond e o discurso bíblico se realiza em termos de isotopia ou redundância, a fim de permitir a identificação do arquétipo.

A fala VII, na qual o menino responde aos vaticínios dos ancestrais, finalizados exatamente na parte IV, reinsere o mito da expulsão do paraíso na estilização trágico-poética da referência pessoal:

> Ó monstros lajos e andridos que me perseguis com vossas
> [barganhas
> sobre meu berço imaturo e de minhas minas me
> [expulsais.

Confronte-se ainda o verso "E no fundo da mina, ó capitão, me esconde" com o texto do Gênesis 3,8: "E escondeu-se Adão e sua mulher da presença do Senhor, entre as árvores do jardim."[52]

Messias

O arquétipo do Messias vincula-se à dialética morte-vida e ao processo sacrifício-redenção de "Os bens e o sangue". Conforme já se assinalou, o sacrifício do poeta-protagonista resgata da morte os ancestrais-personagens. Subjaz nesse resgate o arquétipo do Cristo, em sua face de eleito que deve ser sacrificado para redimir a queda de Adão.

Como enfatizaram os etnólogos, o episódio da queda de Adão representa o tema do tempo funesto e mortal. A segunda árvore do paraíso, cujos frutos são proibidos, sua degustação acarretando a queda, não é a árvore do conhecimento como dizem interpretações recentes, mas a árvore da morte. O conhecimento da morte e a tomada de consciência da angústia temporal enquanto catástrofes primordiais foram substituídos pelo problema mais secundário do conhecimento do bem e do mal, que pouco a pouco foi sendo grosseiramente sexualizado.[53] Essa interpretação recupera o valor arquetípico primitivo da serpente — renovação e perenidade, projeção no imaginário coletivo de sua qualidade de animal lunar que muda ciclicamente de pele. Embora polivalente e por vezes contraditório, o simbolismo ofidiano reiteradamente encerra significação temporal, representando em diversas culturas as imagens de regeneração e imortalidade, de guardiã da perpetuidade ancestral, e de guardiã do mistério último do tempo, a morte.[54]

Na obra de Drummond, a imagem da serpente investe-se desse triplo significado simbólico. Atraído pelo enigma do tempo e da morte, temas obsessivos que provavelmente associa no seu imaginário ao animal lunar, o poeta autodefine-se como "amador de serpentes" ("Nudez", VPL). Em "Cisma" (B), pequena peça bucólica que transfigura o ambiente rural em cenário edênico, evocando o mito bíblico do confronto entre o homem e a serpente surge uma "cobra-coral", que assume no texto a função de símbolo do "sonho" de imortalidade. Em "Brasão" (B), poema no qual, como já se disse, reaparece o motivo da anagnórisis da família, "duas serpentes enlaçadas" compõem o emblema totêmico da perenidade do grupo ancestral, e se afirmam, no seu valor metafórico de vínculo com o descendente e na sua ambivalência picada-abraço, como símbolo "do momento difícil de uma revelação ou de um mistério: o mistério da morte vencida pela promessa de recomeço":[55]

Ao ataque de duas línguas
bífidas, todo te contrais
e na dupla, ardente picada,

a alegria te invade ao veres
sobre a pele de teu destino
que uma pulseira inquebrantável
surge do abraço viperino.

Nesses poemas, a recorrência de valores temporais na simbologia ofidiana reforça a interpretação, no imaginário de "Os bens e o sangue", da queda de Adão como queda na temporalidade, o seu delito conotando, de acordo com a lição bíblica menos difundida, a pretensão e a tentação potenciais à eternidade (reincidência virtual da insubmissão ao poder celeste), causa efetiva da expulsão do paraíso. É com essa significação temporal que ela assume uma segunda face no poema, a de imagem arquetípica do declínio e morte do clã.

Uma das normas do jogo com os arquétipos consiste na reversibilidade do seu emprego. Na fala IV, Adão é a figura arquetípica do poeta-protagonista; mas a partir da aplicação ao poeta do arquétipo Messias, os antepassados passam a identificar-se com o arquétipo Adão; por sua vez, a associação entre o poeta e o apóstolo Pedro implica a relação Cristo-antepassados. Estabelecem-se, em conseqüência, as séries paradigmáticas:

Adão	Deus
Cristo (logo Deus também)	Adão
Pedro	Cristo
poeta-protagonista	antepassados-personagens

O manejo reversível dos arquétipos reitera no plano mítico do poema a assimilação entre o poeta e os ancestrais processada no nível do real representado.

A pretensão potencial à eternidade, que se configurou como origem da queda de Adão, é sugerida na composição das personagens às quais se aplica o seu arquétipo. Quanto aos ascendentes, ela se encontra implícita na sua estilização em entidades divinas e nas manifestações de seu orgulho senhorial e autoridade despótica, as quais pressupõem a crença na durabilidade da própria supremacia. A queda do clã significa, conforme se observou, a ruptura dessa ilusão e a imersão na temporalidade, que lhe arrebata o poderio. Quanto ao poeta-protagonista, o discurso da parte VII deixa entrever (o que será desenvolvido posteriormente) o anseio de liberar-se das leis do tempo, de situar-se "fora dele" (ver "Cisma", B). "Os bens e o sangue" atesta a interpretação da *hybris* como "presunção a uma certa espécie de divindade que poderá ou não ser concedida".[56]

O arquétipo do Messias não permanece apenas no nível do subjacente, pelo paralelismo das situações sacrifício e resgate. Ele emerge ao nível do discurso no epíteto "desejado" (VIII, v.10), variante pessoal do termo *esperado*, com o qual a tradição bíblica, poética e religiosa alude ao Cristo. De importância decisiva na reelaboração mítica do real representado no poema, a imagem *sangue* reafirma a apropriação do arquétipo do Messias na composição do poeta-protagonista. Polissêmica, ela vai-se desdobrando em múltiplas significações. Em VII "sangue" significa simbolicamente filiação espiritual e afetiva:

> Os parentes que eu amo expiraram solteiros.
> Os parentes que eu tenho não circulam em mim.
> Meu sangue é dos que não negociaram [...]

No jogo antitético do título, "sangue" é signo de perenidade, em oposição à fugacidade dos "bens". No poema como todo, "sangue" indica filiação genética. Em sua polissemia, a imagem reinstala o equilíbrio laços de sangue = laços de amor.

Finalmente — e aqui culmina o arquétipo do Messias —, do contexto ritualístico do poema infere-se que *sangue* é metáfora do sacrifício do poeta, que ligará o presente ao passado, mantendo em cada indivíduo o sentido de comunhão com o grupo, não só com os membros vivos, mas também com os ancestrais.

> No derramamento ritual de sangue, não é o tirar a vida que é fundamental, mas o dar a vida para promover e preservar vida, e para estabelecer união entre o indivíduo e as forças invisíveis que o circundam.[57]

Portanto, "sangue" é símbolo da aliança do clã, conquistada pela Paixão do poeta. Ou seja: símbolo da eucaristia, na sua acepção síntese de celebração em memória, refeição como anamnese, refeição comunitária, sacrifício, refeição sacrificial.[58] No simbolismo eucarístico e epifânico descobre-se um parentesco entre o poema e o auto sacramental.[59]

A simbologia eucarística aparece em outros textos de Drummond: em "A mesa" (CE), como ceia comunitária que mantém viva a memória dos mortos e garante a união do grupo familiar. Em "Comunhão" (B), ressurge a imagem do poeta como elemento instaurador da comunhão dos membros do clã:

> Todos os meus mortos estavam de pé, em círculo,
> eu no centro.
> ....
> Nenhum tinha rosto. O que diziam
> escusava resposta,
> ficava parado, suspenso no salão, objeto
> denso, tranqüilo.
> Notei um lugar vazio na roda.
> Lentamente fui ocupá-lo.
> Surgiram todos os rostos, iluminados.

As duas matrizes da estilização da matéria representada em "Os bens e o sangue" — a tragédia e as narrativas bíblicas — convergem para uma perspectiva similar quanto à relação entre o indivíduo e o grupo. Nos conflitos trágicos, o herói descobre uma totalidade de vida que o transcende, a ela retornando e dando-lhe continuidade, dessa forma expiando a culpa da separação — *pattern* que se desentranha do poema de Drummond. Nos relatos do Novo Testamento, a individualidade autocentrada implica solidão e sofrimento, sanados pela submersão do eu num poder espiritual maior — a consciência comunitária — a multiplicidade recuperando a unidade na fusão em torno do Cristo.[60]

Pedro

O arquétipo de Pedro insinua-se no texto pela dialética negação-afirmação e pelo processo eleição-missão. Registre-se o paralelismo entre a narrativa do Novo Testamento e o conflito dramático de "Os bens e o sangue".

Os deuses-antepassados prevêem a negação do menino: "Num magoado alvoroço / o queremos marcado / a nos negar; depois / de sua negação / nos buscará"; Cristo prevê a negação de Pedro: "Em verdade te digo que, nesta mesma noite, antes que o galo cante, três vezes me negarás" (Mat., 26, 34; Marc. 14, 30; Luc. 22, 34; João, 13, 18).

A "certeza frágil", atributo do poeta-personagem, também caracteriza Pedro: naquele ela se concentra em sua negação apaixonada e radical dos antepassados, que logo reverterá, no entanto, em reconhecimento e afirmação; neste ela se comprova em seu veemente protesto, que logo se mostrará inconsistente, contra a previsão do Cristo: "disse-lhe Pedro: ainda que me seja necessário morrer contigo, de modo nenhum te negarei" (Mat. 26, 35; Marc. 14, 31; Luc. 22, 33; João, 13, 37).

O menino nega os ancestrais; Pedro nega a Cristo (Mat. 27, 69-75; Marc. 14, 66-72; Luc. 22, 54-62; João, 13, 37).

O poeta-protagonista reconhece amorosamente os antepassados; Pedro é o discípulo que mais ama o Cristo (João, 21, 15-17).

O arquétipo de Pedro alcança no poema sua plenitude significativa no processo eleição-missão. Pedro é o apóstolo escolhido para congregar universalmente os membros da comunidade cristã, e preservar a memória do Cristo: "E também te digo que tu és Pedro, e sobre esta pedra edificarei a minha igreja..." (Mat. 16, 18); o poeta é o descendente eleito para instaurar a comunhão do grupo familiar e assegurar-lhe a perenidade na poesia.

No nível do discurso poético-lingüístico, a metáfora do sal ratifica o paralelismo assinalado. Plurivalente, ela institui no poema várias significações, todas fundadas no próprio texto. Signo da perenidade espiritual dos ancestrais em outro espaço e outro ser:

E nossa rica fazenda
já presto se desfazendo
vai-se em sal cristalizando
na porta de sua casa
ou até na ponta da asa
de seu nariz fino e frágil,
de sua alma fina e frágil,

é ainda signo de esterilidade da terra em que se situa a "casa" do poeta, relacionando-se com "não lavrará campo" (ver "salgar o chão é condená-lo à improdutividade").[61] Como metáfora metonímica de lágrima, associa-se a "vai muito chorar".

A primeira significação permite remeter a metáfora de Drummond às palavras de Cristo aos apóstolos: "Vós sois o sal da terra" (Mat. 5, 13), sendo "sal" interpretado pelos teólogos como princípio de conservação espiritual, significado simbólico este confirmado pelas pesquisas antropológicas de Gilbert Durand: "A prova da perenidade da substância através das peripécias dos acidentes."[62] Se a pregação dos apóstolos é sal que garante a perpetuidade da mensagem de Cristo, a palavra poética do descendente no poema de Drummond é sal que possibilita a perpetuidade da substância familiar.

Jó

Vislumbra-se ainda no texto o arquétipo de Jó, que nele se reflete e ressoa com menos impacto e visibilidade e mais em surdina que os arquétipos de Adão, Cristo e Pedro. Várias semelhanças esboçam no entanto o paralelismo entre o livro bíblico e o poema drummondiano:

A condição de Jó — servo preferido de Deus (1, 8; 2, 3) — e a do poeta-protagonista, descendente preferido dos antepassados: "e é teu esse primeiro / e úmido beijo em nossa boca de barro e de sarro."

O protesto de Jó contra a violência de Deus e o seu pedido de socorro (19, 7); o protesto do menino contra a ação dos ancestrais e o seu apelo de ajuda ao capitão João Francisco (VII).

A acusação de Jó: "Deus se ri da prova dos inocentes" (9, 23); a constatação na fala VI: "e os antepassados no cemitério / se rirão se rirão."

O princípio pequeno e o fim grande de Jó (8, 7); o princípio pequeno do menino "vergonha da família" e o seu fim grande como poeta redentor da família.

As doenças de Jó (2, 7; 7, 5) e do menino: "vai ter catapora / amarelão e gálico"; o choro de um (16, 16, 20) e de outro: "E vai muito chorar"; a marginalização de ambos do grupo social (19, 14; III, IV).

A obstinação de Jó em descobrir os desígnios de Deus, *leitmotiv* do seu livro; a inquietação metafísica do poeta-protagonista, que "roga à escuridão / abrir-se em clarão".

Embora no espírito popular Jó simbolize a paciência, o seu traço individualizador é a necessidade de compreender a causa do seu sofrimento, é a exigência de uma palavra divina que lhe explique a razão de sua queda. Jó contende com Deus, quer desvendar os caminhos ocultos de Deus, por isso seus "passos se desviaram do caminho" (31, 7).

Percebe-se, ainda, na trama do discurso dos dois textos, uma sutil afinidade entre os males prenunciados pelo coro dos escravos e a linguagem simbólica com a qual Jó se queixa da sua desgraça (12, 5; 16, 12; 16, 15; 30, 12-13; 30, 19; 30, 22; 31, 7).

Retomando a proposição inicial: a realidade representada em "Os bens e o sangue" se organiza em um esquema de estilização trágica que tem por modelos a tragédia grega e a Bíblia, a inserção de arquétipos do processo eleição-queda-sacrifício-resgate instituindo-se como uma das leis estruturadoras do jogo poético. O poema mostra de modo eloqüente e radical o método de Drummond no tratamento da matéria autobiográfica: ele a submete a um processo de composição que, tendo em vista a configuração de uma Forma, opera a estilização da experiência pessoal. Mesmo os poemas que podem, enganadoramente, parecer confessionalismo direto, são de fato a construção literária de uma vivência, o "eu todo retorcido" sendo uma elaboração estética e uma criação de um personagem poemático, que não se obriga a um estrito compromisso com o real, porquanto "a face do artista é sempre mítica" ("A um morto, na Índia", VPL).

A apreensão desse princípio plasmador do biografismo orienta a leitura bissêmica dos versos finais de "Os últimos dias" (RP):

> E a matéria se veja acabar: adeus composição
> que um dia se chamou Carlos Drummond de Andrade
> ....
> vida aos outros legada.

neles descobrindo uma significação metalingüística, alusiva à organização poética de uma "matéria" humana e de uma "vida", dessa forma "aos outros legada" como reelaboração e comunicação artísticas, o termo "composição" remetendo à noção de organismo biológico e também à de organismo verbal, textual — "composição" de uma entidade-personagem poética.

O Desenlace

A ambigüidade inerente à linguagem poética é particularmente reforçada pela estrutura específica de "Os bens e o sangue": a finalização do poema pelo silêncio de uma das forças em conflito admite a possibilidade de leituras diversas, que atingem a própria significação do desenlace.

A leitura que considera implícita a anagnórisis amorosa dos antepassados por parte do descendente não propõe se incluam necessariamente nesse reconhecimento nem a justificação da ação do clã, nem a ausência de contida revolta diante dela; mas tampouco nega a viabilidade dessas três tácitas reações frente à fala dos ancestrais.

Se em vários poemas de Drummond a anagnórisis afetiva envolve a adesão integral à figura do pai, com a aceitação do seu ser e agir, autocensurando-se o poeta por só tardiamente descobri-lo e reconhecê-lo e resolvendo-se o conflito entre eles pela total reconciliação, o poema "Raiz" (MA) reconhece o amor mas afirma a manutenção do impasse:

> o mesmo instinto, o mesmo
> fero exigente amor
>   crucificante
>   crucificado
> a mesma insolução
>   o mesmo não
> explodindo em trovão
> ou morrendo calado.

O diálogo entre os dois textos justifica portanto a indagação: o conflito de "Os bens e o sangue" se decide por um sim absoluto ou por um sim relativo com ecos de não morrendo calado?

Na ambivalência diante de um mesmo objeto delineia-se o *pattern* emocional correspondente à tragédia, na qual o herói vive a experiência da tensão entre sentimentos contrastantes. De um lado amor, admiração e fidelidade; de outro, ressentimento, hostilidade e independência. Essa dicotomia decorre do mesmo conflito fundamental: a luta entre o impulso à auto-afirmação e a tendência à submissão.

Esse *pattern* geral se particulariza freqüentemente na dualidade em relação à figura paterna ou materna, que tanto pode ser representada indivisamente em uma única personagem (*Édipo Rei*), quanto pode decompor-se em duas, a do pai ou mãe reverenciados e a do tirano usurpador (*Orestes*, *Hamlet*). O conflito não se investe forçosamente de significação sexual; seu componente decisivo reside na convergência de afeto e agressividade sobre a imagem dos pais.

A figura ancestral objeto da ambivalência solidariedade-revolta encarna o poder espiritual de uma forma coletiva de vida e de uma experiência comunitária, preservado graças ao triunfo final da tendência à submissão sobre a tendência à auto-afirmação.[63] A divisão interior do herói configura em termos psicológicos, emocionais e estéticos, o substrato filosófico da tragédia, centrado na oposição multiplicidade-unidade, a qual se soluciona, conforme já se apontou, pela reintegração do múltiplo no uno.

Sem prejuízo do reconhecimento amoroso e da descoberta da *physis* do poeta-protagonista, afinal identificado com a totalidade espiritual da qual se separara, a estrutura de "Os bens e o sangue" suscita as seguintes questões quanto ao desfecho: solução global do conflito e reconciliação plena entre pais e filho? Permanência de resíduos da "energia da hostilidade reprimida, como compensação do amor idealizado",[64] que deixam em suspenso certas áreas do conflito em estado de "insolução"?

A primeira leitura — a que, reitere-se, interpreta a anagnórisis afetiva e o descobrimento da *physis* como adesão sem restrições ao grupo familiar — enfatiza um paradoxo basicamente trágico: a mesma força que impele o homem à desgraça, com esse movimento o atrai para mais perto de si, e o encaminha à glória final (ver o dialogismo entre *Édipo-rei* e *Édipo em Colona*). No poema de Drummond, como nas duas tragédias de Sófocles, a mesma voz que profetiza a queda do protagonista, enuncia as palavras que haverão de conduzi-lo ao apaziguamento interior.

Na segunda hipótese, a ambivalência própria do *pattern* emocional da tragédia não se resolveria integralmente no final, por faltar caráter de absoluto ao triunfo da tendência à submissão, persistindo no desenlace vestígios da tendência contrária — impulso à auto-afirmação — consubstanciados talvez no silêncio de protesto contra o "fero exigente amor" do grupo ancestral, que egoisticamente dirige a vida dos descendentes para a glorificação de seus próprios valores: "Pois carecia que um de nós nos recusasse / para melhor *servir-nos.*" (O grifo é nosso.)

No poema "A corrente", de *A paixão medida*, rompe-se o silêncio e a ambigüidade emocional em relação aos antepassados, e vem à tona, unívoco e explícito, o rancor por tanto tempo represado contra o passado familiar:

> Sente raiva do passado
> que o mantém acorrentado.

Sente raiva da corrente
a puxá-lo para a frente
e a fazer do seu futuro
o retorno ao chão escuro
onde jaz envilecida
certa promessa de vida
de onde brotam cogumelos
venenosos, amarelos,
e encaracoladas lesmas
deglutindo-se a si mesmas.

No nível objetivo da ação, ambos os desenlaces no entanto promovem a ascensão do deserdado, classificando-se pois como finais felizes.

Do ponto de vista do trágico enquanto estrutura do assunto, a *Poética* de Aristóteles admite, como solução do conflito e resultado da ação, tanto a mudança da felicidade em desgraça, quanto a transformação da desgraça em felicidade.[65]

Do ponto de vista do trágico enquanto específica concepção do mundo, o tema do desfecho feliz tem sido objeto de discussão, divergindo as conclusões. Para alguns autores faz-se imprescindível a catástrofe final do herói. Nessa linha situa-se Goethe, para quem o trágico se fundamenta numa contradição irreconciliável, afirmando ele radicalmente que "tão logo aparece ou se torna possível uma acomodação, desaparece o trágico".[66] Staiger partilha da mesma posição, indicando como única resolução possível da crise "um fracasso irrecorrível, um desespero mortífero que não visualiza salvação".[67] Em campo contrário alinha-se Albin Lesky, que, tendo em vista a série de tragédias áticas a que falta o desastre final e/ou que terminam pela "completa reconciliação e ajuste" entre as forças antagônicas, conclui pela compatibilidade entre a categoria do trágico e o final feliz ou a solução conciliadora.[68]

Como já se observou, a estilização trágica da matéria de "Os bens e o sangue" cria um significado extra-noticial de natureza metafísica, que aponta para a crise do divino esparsa na poesia de Drummond, e que funda o conteúdo latente do poema: o conflito homem *versus* deuses.

Também nesse nível de leitura reafirma-se o agenciamento do silêncio final do protagonista como fator estruturante da plurivocidade do desenlace. Encerrando o poema na fala VIII, Drummond concretiza de forma radical no espaço do texto (em termos de teatro, o procedimento equivaleria à retirada de cena do personagem) uma atitude que vai ao encontro do comportamento padrão do herói trágico, caracterizado pela mudez — segundo Walter Benjamin traço distintivo não apenas de Édipo mas de todos os heróis da tragédia grega: "o herói trágico só tem uma linguagem inteiramente à sua altura, é o silêncio".[69]

O silêncio a que se refere Walter Benjamin não é um silêncio físico (daí classificarmos de concreto e radical o de Drummond), mas o silêncio das faculdades intelectivas: Édipo se lamenta e grita; seu discurso, porém, se imobiliza na área da emoção, por carecer de pensamento reflexivo que lhe permita ao herói definir-se, enquanto ser de razão e espírito especulativo, diante da sua queda. Ainda segundo Walter Benjamin, Édipo se cala porque não consegue destrinçar a malha que lhe veda discernir a causa de sua desgraça: se o crime em si, se o oráculo de Apolo, se a sua própria maldição contra o assassino de Laios.

Infere-se portanto que o silêncio do herói deriva de sua cegueira cognoscitiva, da *hamartia* de sua condição humana, impondo-se como elemento portador de coerência da mensagem trágica. O processo de conhecimento do eu se perfaz na consciência da impossibilidade de atingir a explicação última da existência, na consciência portanto dos próprios limites.

No final de "Os bens e o sangue", o espaço do silêncio se preenche de hipóteses, configurando-se como signo da "certeza frágil", que torna inviável o julgamento unívoco e definitivo da ação divina. (Tal inviabilidade virá a constituir-se em núcleo temático de "Os dois vigários", LC.) Nesse vazio instala-se a *hamartia* judicativa, que não permite senão suposições e perguntas e efetua-se tacitamente a antecipação ou retomada de questões e perguntas do universo drummondiano, tais como:

"Por que Deus é horrendo em seu amor?" ("A santa", LC), que focaliza o tema da eleição divina. Deuses e homens se nivelam? —

pergunta sugerida pela reversibilidade dos arquétipos bíblicos, nivelamento tema de "Tristeza no céu" (J), que tem como núcleo significativo a *hamartia* divina: "Por que fiz o mundo? Deus se pergunta / e se responde: Não sei."

É o homem quem resgata Deus e lhe assegura a imortalidade? — indagação levantada em "Especulações em torno da palavra homem" (VPL): "Para que serve o homem? / [...] para criar Deus?"

Semelhantes perguntas, instigadas pela estruturação do texto, possibilitam o parentesco de "Os bens e o sangue" com a visão trágica do século XX, a qual transpõe a *hybris* do âmbito humano para o divino.[70] Nesse sentido, a injustiça radicaria em Deus, sua ação resumindo-se a um egoísta e caprichoso movimento de precipitar e elevar o homem, seu ofício consistindo em infligir-lhe a morte e o sofrimento. Essa concepção ressurge no poema "Matar" (MA): a estória do menino e as formigas compõe uma metáfora do relacionamento entre Deus e os homens; a inconformação e o protesto marcariam a grandeza da vítima, que assim "cobra sua morte / ferindo a divindade".

Nessa linha de interpretação, a fala VII se enriqueceria de significação metafísica, conotando uma aspiração ao não-ser. O apelo ao capitão João Francisco — "Inclui-me entre os que não são, sendo filhos de ti" — tem duplo sentido, em virtude da convergência na forma verbal "são" de funções diversas e valores semânticos diferentes: é verbo de ligação, que tem como predicativo o termo "filhos", elíptico mas subentendido (em linguagem prática e prosaica, o verso corresponderia à frase: inclui-me entre os que não são filhos de ti, sendo filhos de ti, o termo repetido significando respectivamente filiação genética e filiação espiritual); e também é verbo com plenitude significativa com o sentido de existir.

Considerando-se a segunda acepção de "são", o verso-apelo ao capitão expressaria o desejo de não existir, o anseio de não ser para o sofrimento e a morte inerentes à experiência humana (ver "Comemoração", MA): "o presente / arrependimento de nascer"). Coerente com a leitura que atribui dimensão metafísica e existencial a "Os bens e o sangue", o mito da expulsão do paraíso receberia um segundo significado no texto, o refúgio "no fundo da mina" compondo a representação simbólica do edênico estado pré-natal (ver "menino inda não nado", "berço imaturo"), e a expulsão das minas desenhando-se como imagem arquetípica do nascimento, queda trágica na temporalidade[71] (ver "Elegia", FA: "Ganhei (perdi) meu dia").

Em *Menino antigo*, Drummond reestabelece a homologia entre o não-ser e um estado paradisíaco, agora imaginados como vida biológica inocente da angústia existencial e situados na infância:

> Que vou ser quando crescer? Sou obrigado a? Posso escolher? Não dá para entender. Não vou ser. Não quero ser. Vou crescer assim mesmo. Sem ser. Esquecer.
>
> ("Verbo ser", MA)

(Atente-se para a sugestiva disposição do texto no volume: imediatamente anterior a "Matar".)

A fala IV fornece dados paralelos, na composição do poeta enquanto personagem, da aspiração e nostalgia do não-ser: na imagem da errância nos versos "e seu passo tíbio / sairá na cola / de nenhum caminho", descobre-se a metaforização da tendência ao niilismo, uma das faces do dialético "eu todo retorcido" drummondiano: "Minha matéria é o nada". ("Nudez", VPL)

Essa leitura simbólico-metafísica, uma das propostas para a fala VII no nível do conteúdo latente, concorda com a sabedoria dionisíaca de Sileno segundo Nietzsche, implícita na tragédia grega:

> Miserável raça dos homens, filhos do acaso e do sofrimento! Por que queres tu ouvir o que não te trará nenhum proveito? Este bem supremo, tu não poderás atingi-lo: é o de não haver nascido, de não *ser*, de ser *nada*.[72]

A concepção trágica do mundo não se esgota nem se unilateraliza, porém, na visão negativista da existência. Ao contrário, ela encerra, em última instância, um sentido afirmativo do homem e/ou da ordem cósmica. Na afirmação da vida como "potência indestrutível apesar de todas as mudanças", e da essência do ser, "eterna apesar da sucessão de fenômenos"[73], resolvem-se as contradições morte-vida, nada-tudo, multiplicidade-unidade que compõem a dialética da tragédia e a síntese de "Os bens e o sangue", uma das vozes da plurivocidade do desenlace.

A atitude vital trágica e drummondiana se definiria, em conseqüência, por um sintético não-sim ao mundo — significação latente do movimento negação-aceitação estruturador da semântica manifesta do poema — por "um não estar-estando" no mundo ("Poema-orelha", VPL).

Com heroicidade trágica, o poeta-protagonista assume a morte, contingência maior da existência humana, incorporando-a como ímpeto criador ambivalentemente afirmado: aceitação de uma ordem cósmica superior e "traição" do homem "à sorte" dos homens "traçada pelos deuses" (ver "Matar", MA).

Vitória da Musa sobre Chronos, "Os bens e o sangue" realiza a Forma dramática e trágica do processo morte-vida recorrente na poesia de Drummond:

> E que eu desapareça mas fique este chão varrido onde
> [pousou uma sombra
> e que não fique o chão nem fique a sombra
> mas que a precisão urgente de ser eterno bóie como uma
> [esponja no caos
> e entre oceanos de nada
> gere um ritmo.
>
> ("Eterno", FA)

A magia lúcida

Introdução

A valorização da ironia romântica como categoria das mais relevantes e decisivas na configuração da fisionomia literária e artística do século XX vem sendo reiteradamente empreendida por historiadores, teóricos e críticos da literatura de diferente geração e formação diversa.

Octavio Paz afirma incisivo que ela "tem sido o alimento-veneno da arte e da literatura do Ocidente há cerca de dois séculos".[1] D.C. Muecke não é menos veemente na sua avaliação: "estudar a ironia romântica é descobrir quão moderno o Romantismo pode ser ou quão romântico é o Modernismo".[2]

Pensada pelo século XVIII alemão como projeto de modernidade e prospecção para o futuro, a ironia romântica viria de fato a confirmar-se um veio de extraordinária vitalidade, explorado por tendências artísticas do século XX, quando expande o seu domínio, ocupando lugar privilegiado na teorização e impondo-se como princípio estruturador da criação em várias literaturas ocidentais.

Formulada por seus teóricos como única linguagem adequada à cisão da consciência moderna, dilacerada em dicotomias frente à consciência grega — segundo eles ingênua das contradições — a ironia romântica compõe um índice da crise que instaura a era contemporânea. O contexto ideológico do século XX radicaliza a crise, extremiza o processo de fragmentação interior e separação ontológica, assegurando-lhe, mais que condições de permanência, condições de desenvolvimento pleno. Mais ainda: possibilitando-lhe concretizações modelares na obra de Thomas Mann, Joyce e Kafka.

Segundo a crítica especializada, esses autores realizaram de modo notável o programa da ironia romântica e atualizaram de forma exemplar suas potencialidades de função e significação contidas na proposta seminal dos escritores alemães do século XVIII. Especialmente Thomas Mann, cujos romances representam, segundo D.C. Muecke, a *práxis* mais cabal da teoria da ironia romântica, o que demonstra, ainda conforme o crítico, a admirável acuidade de Friedrich Schlegel em vislumbrar no Romantismo os germes do Modernismo.[3] Anatol Rosenfeld, em breve mas excelente ensaio sobre Thomas Mann, confere especial relevo à importância da ironia romântica em sua obra.[4]

Força motriz de uma dinâmica que adquire autonomia de movimentos, nos quais se reconhece no entanto o livre desempenho de uma trajetória virtual no arremesso originário, a teoria da ironia romântica persiste na criação artística do século XX em múltiplas perspectivas e comportamentos, os quais, se não se vinculam direta e conscientemente à proposta alemã, é porque esta se havia disseminado e incorporado a realizações mediadoras.

A qualificação de "romântica" a essa especial modalidade de ironia responde, portanto, menos a uma delimitação cronológica do que à indicação do momento histórico que inaugura, enquanto construção teórica e programa-ação grupal autoconsciente, uma nova visão do homem e do mundo, uma concepção da arte, uma Forma e uma Linguagem.

No processo poético brasileiro observa-se a presença de aspectos da ironia romântica em Álvares de Azevedo e em Augusto dos Anjos. Em alguns de seus traços e funções — particularmente naqueles em que se assimila à autoconsciência literária e à metalinguagem — cobre extensa parte da obra de João Cabral de Melo Neto.

Em sua acepção de "amor pela contradição que cada um de nós é e a consciência dessa contradição", conceito que Octavio Paz, em *Os filhos do barro,*[5] privilegia no pensamento de Friedrich Schlegel, a ironia romântica encontra sua expressão mais radical nos quadros da poesia brasileira na obra de Carlos Drummond de Andrade. Este a converterá em "atitude fundamental" e lhe dará "o sentido mais profundo", valores assinalados por Anatol Rosenfeld no Romantismo alemão.[6]

A prática drummondiana da ironia romântica é complexa e completa: assume as múltiplas significações dessa categoria, incorpora suas implicações filosóficas e metafísicas, descobre suas faces diversas e a investe de diferentes funções.

É importante prevenir que não interpretamos a presença da ironia romântica na obra do poeta como reflexo direto dos autores citados e transcritos no decorrer deste ensaio, o qual não se equaciona como registro de influências interpessoais; as citações e transcrições de escritores alemães devem-se tão somente ao fato de constituírem elas o material indispensável à configuração da categoria em pauta.

A perspectiva adotada neste ensaio é similar à de Albert Béguin na obra *L'âme romantique et le rêve*, na qual ele traz à luz correspondências e afinidades entre autores franceses do século XX e o Romantismo alemão. Explicitando categoricamente que não pretende investigar um problema de influências, e que não importa se tal ou qual leitura alemã ajudou Nerval ou Breton a construir sua mitologia pessoal, ele prossegue sua argumentação em termos taxativos:

> Quando não se trata de literatura considerada como puro virtuosismo de expressão e por isso aberta a todas as formas de imitação; quando, ao contrário, trata-se desta poesia, romântica ou moderna, que aspira a assimilar-se a um conhecimento e coincidir com a aventura espiritual do poeta, a "influência" é de importância muito acessória.[7]

Procedimento análogo ao seguido no presente estudo norteia o livro de René Bourgeois sobre a ironia romântica na literatura francesa. Esclarecendo que não tenciona em absoluto examinar casos de influência, levanta uma questão e lhe dá uma resposta que vêm, ambas, ao encontro da perspectiva e do método pelos quais optamos neste ensaio: "Em quais autores, então, deveríamos pesquisar a ironia romântica? Parece-nos evidente que só nos pode ser dado um critério a partir da 'noção-mãe', e do estudo da ironia romântica alemã."[8]

Anulada qualquer margem de equívoco quanto à função e intenção das constantes referências ao Romantismo alemão, resta-nos explicitar que a análise aqui empreendida vê o texto drummondiano enquanto lugar de entrecruzamento de forças culturais, acionadas em relação reciprocamente dinamizadora com uma individualidade vigorosa, imune a qualquer classificação redutora. A sintonia com o seu tempo — tempo de Romantismo Moderno — imprime à obra de Drummond o signo da ironia romântica.

Especulações em torno da Palavra Poética

O mágico e o lutador

A autoconsciência do processo criador se define como projeto básico da poesia de Carlos Drummond de Andrade, continuamente voltada sobre si mesma, questionando-se como ser e fazer. Manifesta ou sub-repticiamente, o pensar-se enquanto Forma impregna a sua obra, marcada pelo elevado índice de poemas que têm como referência explícita a própria poesia, pela possibilidade de leitura metapoética da linguagem-objeto, pela freqüente inserção em outros espaços temáticos de reflexões sobre a natureza e exercício da palavra social e artística, pelo equacionamento entre o universo conteudístico e problemas de expressão-comunicação.

O poeta executa de modo vário — mas "sendo vário é um só" ("Estrambote melancólico", FA) — a dinâmica de adentramento-distanciamento do processo poético, atitude no século XX correlata à imanência-transcendência do autor em relação à obra reivindicada pela ironia romântica, precursora da radical consciência de si mesma da arte moderna, antecipadora da perspectiva da criação literária enquanto "aventura da escritura"[9] e que, em prospecção para o futuro, apontava como sua meta privilegiada a linguagem sobre a linguagem ou a poesia sobre a poesia.[10]

Resultado daquele duplo movimento: a percepção irônica da arte. Ou seja, a percepção das contradições da arte — tema nuclear da metapoesia drummondiana e da ironia romântica.*

Do tema, Drummond seleciona como motivo central as ambigüidades da arte implícitas em seu peculiar estatuto ontológico. A pluralidade de modos de existência — no nível imaginativo ou representativo e no nível material ou estrutural — confere à arte uma potencialidade irônica, atualizada em menor ou maior grau segundo o artista se limite a sugeri-la ou se proponha a apresentá-la como paradoxo.

É como paradoxo que Drummond articula o diálogo entre "Procura da poesia" (RP) e o restante de sua obra: inventariando o elenco de seus temas mais freqüentes, aconselha ao tu intrapoemático, desdobramento do eu, que não faça versos sobre eles, em atitude que, em uma primeira instância de leitura, parece contestar e contradizer o conjunto de sua poesia. É também como paradoxo que "Procura da poesia" se relaciona com "Consideração do poema", texto que lhe é imediatamente anterior em *A rosa do povo*. Ao ensinar que "a poesia [...] elide sujeito e objeto", "Procura..." minimiza a importância do assunto, e do eu, com suas idéias, sensações e emoções. "Consideração do poema", no entanto, desenvolve-se num discurso de alta voltagem emocional, em que o sujeito poético faz uma categórica opção temática e expressa uma inequívoca posição ideológica: "Tal uma lâmina, / o povo, meu poema, te atravessa."

O diálogo entre os dois textos, e entre "Procura da poesia" e os demais poemas de Drummond, é de natureza irônica e se concerta

---

* D.C. Muecke, *The Compass of Irony*, p.159: "A ironia romântica consiste em lidar ironicamente com as situações da ironia geral, mas sobretudo com as contradições irônicas da arte; mais precisamente, a ironia romântica é a expressão de uma atitude irônica adotada como meio de reconhecer e transcender, mas sempre preservando-as, essas contradições."

no timbre próprio da ironia romântica, destoante da interpretação privilegiada no passado, à qual o Romantismo alemão contrapôs uma execução "mais subjetiva e menos satírica, mais atmosférica e menos retórica, mais defensiva e menos agressiva",[11] de acordo com uma nova concepção de ironia, documentada no fragmento de Ludwig Tieck (e referendada pela literatura do século XX):

> Ela representa no poeta a faculdade de dominar a matéria; a ironia o impede de nela perder-se e o preserva de uma concepção unilateral das coisas, de uma tendência vã a idealizá-las.[12]

Na obra de Drummond (e na literatura brasileira), "Procura da poesia" se destaca como o metapoema que expõe de forma mais incisiva a tensão entre os dois níveis da poesia: o da representação (de seres, idéias, emoções, coisas etc.) e o da estruturação.

Em outra clave semântico-estilística e adotando diferente ângulo de visão, "Balada do amor através das idades" (AP) focaliza essa ambivalência, entremostrando sorrateiramente um aspecto da criação literária que se furtaria a uma mirada não-irônica: a conversão de elementos de representação em elementos de estruturação.

Repetindo em todas as estrofes o mesmo esquema representativo-narrativo — amor contrariado por imposições culturais e sangrento *unhappy-end*, com exceção da última, que segue o modelo dos filmes americanos da época — Drummond dissimuladamente deixa entrever a formalização de referências do nível imaginativo, que passam a integrar uma morfologia da narrativa. O poeta desilude e diverte os leitores: o que haviam lido em seu contexto próprio (nas estórias conotadas no poema) como mensagem original não era senão código convencional.

Preocupada em criar a ilusão de realidade, a prática não-irônica da arte esconde a dualidade de níveis, obliterando-a pelo ilusionismo artístico, que simula privilegiar o imaginativo, e finge manipular o material como simples veículo de representação. O ilusionismo não implica o negligenciamento ou neutralização da existência fenomenal da obra, cujas qualidades sensíveis atuam sobre o receptor — mesmo que este não lhes perceba conscientemente a expressividade — mas o seu pretenso agenciamento como mero suporte do sistema de representação. Em certa medida "elude" a materialidade da arte, estimulando um consumo que tende a ressaltar no signo artístico a sua transitividade.

Conseqüência da estratégia ilusionista: a valorização do assunto, que "Procura da poesia" nega seja fator de poeticidade, a qual só se instaura no nível da configuração verbal. A estratégia antiilusionista, ao contrário, centra o seu interesse nos elementos de composição, cujos problemas emergem à superfície do texto e invadem o nível representativo.

A ruptura da ilusão artística, com a paralela intrusão do escritor na obra, que assume uma dimensão autoral ou composicional, costuma ser identificada com a ironia romântica. O procedimento, no entanto, remonta à comédia grega, sendo iniciado por Aristófanes com *As rãs*. Praticado intermitentemente por autores de épocas diversas, atinge significativa incidência no final do século XVII e primeira metade do XVIII, quando Sterne o utiliza como princípio estruturador da narrativa.

Por essas razões, Muecke prefere classificar o antiilusionismo de ironia proto-romântica, ressaltando, porém, o seu valor de pré-requisito da ironia romântica, e enfatizando o grau de consciência de si mesmo, o alto teor de elaboração teórica e a riqueza de implicações, algumas de caráter filosófico, que ele adquiriu no Romantismo alemão, quando a crítica o valorizou no passado e o aconselhou no presente, e os criadores dele fizeram uso mais sistemático. A ironia romântica integrou tão medularmente a ruptura da ilusão artística ao seu espaço semântico, que a equação entre as duas se impôs ao discurso metaliterário.

A intervenção do eu enquanto autor de poesia (e não apenas enquanto sujeito poético) ocorre com freqüência na obra de Drummond, efetuando-se ora de modo flagrante, ora de modo mais discreto. Como procedimento reiterado, registre-se o corte da representação por considerações sobre a palavra poética, as quais desempenham múltiplas funções no texto: dado configurador de um eu personagem poemático obcecado pelo problema da expressão; elaboração e transmissão de um ideário poético e estético do autor; interrupção do fluxo lírico para conter seu possível transbordamento e prevenção contra o excessivo prolongamento do *pathos*; sub-reptício lembrete ao leitor de que está diante de poesia — e não da realidade que ela representa simbolicamente — levando-o a deter a sua percepção na tessitura verbal e nos fatores de construção do poema.

A cisão do eu literário em ator e espectador de si mesmo, que acompanha e comenta a "aventura da escritura", demonstra a acuidade da ironia romântica na captação dos sintomas de uma consciência em fracionamento, e na intuição do que ela indiciava de crise irreversível. Ancorado no presente e lançando-se para o futuro, o século XVIII alemão valoriza a introdução, na estrutura do discurso estético, da dissociação do eu, que se incorporaria à literatura posterior, e assumiria no século XX extrema complexidade formal.

Em sintonia com seu tempo, Drummond instala, com a reduplicação do eu lírico, um sinal de drama em sua poesia, que o aciona com colorações diversificadas, humorísticas e patéticas, de autoderrisão, autopunição e auto-amparo.

Como tática mais dissimulada de quebra da ilusão artística, assinalem-se as incursões do eu autoral na mensagem referente a outros contextos por meio de alusões, por vezes sinuosas, à situação de poema do discurso e/ou à condição de poeta do emissor. Citem-se, como exemplos, as notações "alguns versos que li há tempos" ("América", RP) e a imagem relativa à filha do poeta em "A mesa" (CE): "Meu verso melhor ou único". É significativa a incidência dessa técnica, que induz o leitor a assumir um certo distanciamento, ainda que momentâneo, frente aos assuntos e temas representados no texto, o que dificulta a sua recepção meramente emotiva e catártica e incita uma leitura mais atenta a seus elementos de composição. Embora a função e eficácia dessa disfarçada intromissão do eu autoral não se esgotem no seu valor anti-ilusionista, este não deve ser menosprezado como fator que imprime um certo direcionamento à relação leitor-texto.

De forma insólita e surpreendente, Drummond põe em foco em "Aliança" (NP) a tensão ilusionismo-antiilusionismo que dinamiza a sua poesia. À maneira de um mágico que tira da cartola coelhos, pássaros e lenços que vão assombrando e fascinando o público, o poeta-prestigiditador exibe o seu poder de criar realidades por meio da palavra; mas logo em seguida dá uma inesperada "cambalhota", salta do nível da representação para a folha branca do papel em que dispõe os sinais tipográficos e bruscamente desfaz a ilusão de realidade que havia criado:

> e de uma bolsa invisível
> vou tirando uma cidade,
> uma flor, uma experiência,
> um colóquio de guerreiros,
> uma relação humana,
> uma negação da morte,
> vou arrumando esses bens
> em preto na face branca.

O verbo mágico de "Aliança" sintetiza a aventura bidimensional proposta pela poesia de Drummond, que instiga a leitura tensa entre a ilusão de realidade e o destecer da ilusão, entre função representativa e função poética da palavra, entre mundo empírico e universo lírico, entre vida e invenção, entre o objeto e o nome do objeto, entre o espaço imaginário e o espaço preto e branco do papel. Se respeitar as regras do jogo drummondiano, o leitor ao mesmo tempo esquece-lembra que está lendo poesia.

As ironias virtuais da arte não se restringem à dualidade de planos representativo-material e nela e em suas várias implicações não se exaure a exploração de Drummond, o qual, penetrando na natureza ambígua da poesia, torna-lhes manifestas outras contradições latentes. Percebido o primeiro paradoxo, este descobre outro, que desvenda um terceiro, até caracterizar-se a poesia como corrente de paradoxos que o poeta lúcido e atento vai descortinando de ângulos diversos.[13]

O reconhecimento de que "a poesia é incomunicável" ("Segredo", BA) paradoxalmente impulsiona o processo criador, e escrever poesia para dizer de sua incomunicabilidade ironicamente nega-afirma a possibilidade da poesia.

Motivado por uma inelutável necessidade de comunicação — expressa com dramática eloqüência em "Mundo grande" (SM) — o exercício da poesia se controverte no entanto em "exílio das palavras" ("Remissão", CE). A relação do poeta com a sua obra se dicotomiza em "contentamento de escrever" e "alegria de estar só e mudo" ("Remissão"; "Conclusão", FA). A mensagem ao leitor ora se modula em "Canção amiga" (NP) que distribui "um segredo / como quem ama ou sorri", ora se forja em "oficina irritada", (CE), como "soneto duro", que "não desperte em ninguém nenhum prazer", "verbo antipático e impuro", que "há de pungir/há de fazer sofrer".

A especulação drummondiana descobre na poesia várias faces de seu estatuto lúdico. Em "O lutador" (J), a procura da expressão poética se desenvolve como jogo agonal. Autodesafio ou busca de realização do desejo, a posse da palavra poética inacessível impõe um longo trajeto de provas, que o herói-poeta crê insuperáveis. Apesar de envolver "tamanha paixão", a luta com as palavras se define paradoxalmente como jogo de inteligência reflexiva, que despreza o jogo de azar da inspiração:

> Não me julgo louco.
> Se o fosse, teria
> poder de encantá-las.
> Mas lúcido e frio,
> apareço e tento
> apanhar algumas
> para meu sustento
> num dia de vida.

A antinomia paixão-lucidez do jogo poético, conflagrada na intratextualidade de "O lutador" em termos de dialética da composição em que se debate Drummond, reitera-se na articulação entre esse poema e "A tela contemplada" (CE), em termos de contradição entre a atitude do artista enquanto produtor ("lúcido e frio") e o alvo a que visa o seu produto: "porque a plástica é vã, se não comove".

De personalíssima dramaticidade pela tensão entre a consciência alerta e a veemência da paixão, a obra de Drummond encarna exemplarmente, no processo poético brasileiro, o ideal de poesia em que "a mais alta inspiração, o verdadeiro entusiasmo são ao mesmo tempo sangue-frio e lucidez criadora" sonhado pela ironia romântica.[14]

A dialética da composição exposta em "O lutador" será retomada, repensada e reavaliada em "Aliança" (NP). Nesse poema reaparece a cisão do eu artístico, que se duplica na imagem de um outro, não nomeado explicitamente, que se introduz no texto como sugestão metafórica plurívoca: instinto da palavra poética, faro da forma procurada? o poema ainda no "limbo", em estado pré-verbal, virtualidade de poema em sua ambivalência estaticidade-movimento, e que depois de realizado ganha autonomia do sujeito criador? (cf. "Procura da poesia", RP)

A dualidade existencial da arte ressurge em sua cara-coroa — universo das coisas representadas e universo material, agora particularizado na corporeidade física do poema (os sinais tipográficos que formam seu estrato ótico), a partir da qual ele começa efetivamente a existir.

À recusa da palavra encantada e da interferência do acaso efetuada em "O lutador" contrapõe-se a valorização do "achado" poético, "visão de graça fortuita" e "ciência não ensinada" de "Aliança", em que ressoam, porém, os ecos da concepção da poesia como luta com as palavras: "Oh que duro, duro, duro / ofício de se exprimir!". Ambos os poemas, no entanto, mantêm a integridade do paradoxo consciência-inconsciência da criação artística: "O lutador" se fixa na celebração do espírito lúcido, sem eliminar, entretanto, a concorrência do inconsciente, visto que "a luta prossegue / nas ruas do sono". "Aliança" conflui para a cooperação equilibrada entre as duas forças e para a união entre as faculdades diurnas e as faculdades noturnas, reafirmada no título do poema.

A concepção da ironia romântica como arma defensiva contra perspectivas unilaterizantes e idealizantes da criação artística exposta por Tieck ocupa papel relevante no pensamento de Friedrich Schlegel, que considera a ironia instrumento imprescindível para assegurar um permanente estado de disponibilidade e liberdade do escritor. Este, mal tenha expressado uma opinião, deve estar pronto para contestá-la, mal tenha escrito uma frase, deve ser capaz de voltar-se contra ela e dizer o seu oposto.[15]

Como se viu, semelhante dinâmica da ironia romântica não ocorre de forma eventual na obra de Drummond. Ainda que se realize de modo especialmente impactante e desafiante no diálogo entre "Consideração do poema" e "Procura da poesia", em virtude de sua contigüidade imediata no espaço do livro (RP), ela se processa reiteradamente ao longo do percurso do poeta.

O dialogismo de *Reunião* vai-se armando em reiterações, negações, avanços, recuos, amplificações, dilemas, perguntas, silêncios, que chegam à "Conclusão" (FA):

> Os impactos de amor não são poesia
> (tentaram ser: aspiração noturna).
> A memória infantil e o outono pobre
> vazam no verso de nossa urna diurna.
>
> Que é poesia, o belo? Não é poesia,
> e o que não é poesia não tem fala.
> Nem o mistério em si nem velhos nomes
> poesia são: coxa, fúria, cabala.
>
> Então, desanimamos. Adeus, tudo!
> A mala pronta, o corpo desprendido,
> resta a alegria de estar só, e mudo.
>
> De que se formam nossos poemas? Onde?
> Que sonho envenenado lhes responde,
> se o poeta é um ressentido, e o mais são nuvens?

A ironia romântico-moderna, cética quanto à decifração do enigma apresentado pela arte, não pretende resolver, mas apenas evidenciar-lhe as contradições latentes. Aponta uma única via para transcendê-las: a objetivação da subjetividade, que permite ao criador assumir as limitações da própria criação, para nelas não se aprisionar. Somente incorporando as contradições, pode o artista — como faz Drummond em sua *Reunião* dialogística — construir a obra aberta, dinâmica e progressiva, que Friedrich Schlegel assimilava à modernidade, incompatível com sistemas fechados, por sua consciência dividida e ciência das dissonâncias do real.[16]

O frágil-ágil acrobata

A atitude irônica do poeta se radicaliza no seu instalar-se dentro do próprio poema para questioná-lo — movimento derrisório preconizado pela ironia romântica, que o interpretava como signo de desprendimento e superioridade do artista. Este, sorrindo diante de sua criação, deveria manejá-la como que brincando, em comportamento integrante de uma das faces de sua ambivalência em relação a ela.[17]

O contestar-se a si mesmo realiza-se, por exemplo, no ambíguo e reticente verso final de "Aliança" (NP) — "Mas se..." — problematizando e colocando sob suspeição a conclusão a que chegara o poema sobre o ser e o fazer-se da poesia. O autoquestionamento empreende-se de modo vário ao longo do trajeto de Drummond, consubstanciando a sua independência de ironista romântico-moderno, livre para o fazer-desfazer da própria obra.

O distanciado sorriso diante da própria criação já se deixa perceber no título do livro de estréia — *Alguma poesia* — no qual se esboça uma autodepreciação irônica: no sentido imediato do pronome indefinido "alguma", que restringe quantitativamente, em extensão, a poesia da coletânea, infiltra-se um segundo sentido, que a restringe também qualitativamente, em intensão, assumindo o título o valor de uma litotes. Já se insinua portanto a tensão entre o que a poesia se quer — verbo pleno e absoluto — e o que a poesia é — verbo precário e relativo, tensão entre o real e o ideal recorrente na obra de Drummond.

Em *Farewell*, livro-despedida do poeta, publicado postumamente, persiste a irreverência diante do próprio discurso, ironicamente desmascarado como pomposo e literário: "Implacável ponteiro dos segundos. / Não, não quero este decassílabo." ("O segundo, que me vigia"). Vai mais longe o salto para dentro do poema a fim de descontruí-lo: "Glaura revivida" parodia versos de "América", de *A rosa do povo*.

No meio do caminho entre a estréia e o adeus, reponta a disponibilidade lúdica e jocosa em relação à própria obra, que leva o poeta a ironicamente (des)qualificar o seu poema como "cantiga do amor sem eira nem beira" ("O amor bate na aorta", BA). O mesmo espírito galhofeiro o faz atribuir a seus textos títulos desmitificadores, que iluminam humoristicamente seus elementos de composição. É o que ocorre, por exemplo, em "Sonetilho do falso Fernando Pessoa" (CE), que se apropria de peculiaridades do discurso do poeta português, e em "Pequeno mistério policial ou a morte pela gramática" (NP), zombeteira alusão à sintaxe tortuosa e ao sentido hermético do poema.

"A face trocista" ("Nosso tempo", RP) diante da própria obra, representativa da ironia romântica de Drummond, mostra-se ainda em "Noite na repartição" (RP), poema dramático no qual cada personagem se queixa de sua condição, superdimensionando o próprio sofrimento e minimizando o do outro, explícita ou implicitamente invejando-lhe o destino. Quando começa a firmar-se esse esquema estrutural, a aranha, dirigindo-se à porta, intervém bruscamente com a fala: "Chega! Espero que não me queiras nascer um simples vaga-lume."

Tecendo um diálogo intertextual com o célebre soneto de Machado de Assis, "Círculo vicioso", que termina com a lamentação do sol "Por que não nasci eu um simples vaga-lume?", a aranha desnuda a matriz estrutural "círculo vicioso", de que "Noite na repartição" vinha-se utilizando. Lúcido e lúdico, Drummond brinca com seu texto, subtraindo de sua estrutura dramática o valor de invenção ou inovação, exibindo ao contrário seu caráter de reprodução e seu vínculo com a tradição. O poeta-aranha, em sua ironia romântica, faz-desfaz-refaz a própria trama.

Em "O procurador do amor" (BA), a cisão do sujeito poético em um eu que sonha e um eu que zomba do próprio sonho é reforçada pelo desdobramento da instância discursiva em produtora e comentadora do poema, que é ironicamente avaliado: "E faço este verso perverso, / inútil, capenga e lúbrico."

Nesse movimento de fazer-desfazer a (da) própria obra, que se realiza ao longo do percurso de Drummond de modo vário e sutilmente diversificado, e nas incessantes contradições e reiterações, retificações e ressonâncias que impulsionam a sua poesia, parece delinear-se a concepção de arte como alternância de autocriação e autodestruição proposta pela ironia romântica, que via nessa dinâmica um signo da consciência de autolimitação indispensável à liberdade do artista e um índice de superioridade diante do seu material.[18]

A contestação do próprio discurso não implica necessariamente a intromissão direta do eu autoral e nem sempre se efetua de forma imediatamente perceptível. Drummond se imiscui tão sub-repticiamente no texto, que o questionamento, a avaliação ou a retificação irônicas do seu discurso se processam de modo oblíquo e disfarçado.

É o que ocorre, por exemplo, em "O boi" (J). Trata-se de um poema breve, de significado denso, no qual o autor faz uma síntese do seu momento histórico e expressa sua reação diante dele: solidão, ceticismo, desencanto, perplexidade. A linguagem é concisa e sóbria, e, apesar de alguns versos exclamativos, predomina no texto uma dicção contida. Repentinamente irrompe a metáfora "Se uma tempestade de amor caísse!", na qual o eu lírico extravasa sua emoção e esperança. O eu crítico intervém dissimuladamente, sorri como que envergonhado da hipérbole, faz a correção irônica da metáfora e reinstala o ceticismo: "Mas o tempo é firme. O boi é só. / No campo imenso a torre de petróleo."

O salto do eu autoral para dentro do poema a fim de ludicamente pô-lo em xeque faz de "O sobrevivente" um texto especialmente significativo no conjunto de *Alguma poesia*, pelas questões que suscita a respeito da situação da poesia no contexto histórico-cultural do século XX:

> Impossível compor um poema a essa altura da evolução
> [da humanidade.
> Impossível escrever um poema — uma linha que seja —
> [de verdadeira poesia.
> O último trovador morreu em 1914.
> Tinha um nome de que ninguém se lembra mais.

Esta primeira estrofe nega categoricamente a possibilidade de existência da poesia a partir do começo da Primeira Guerra Mundial. Do ponto de vista da linguagem poética, ela se peculiariza pelo andamento lento e pausado (sobretudo nos dois primeiros versos), pela acumulação de recursos retóricos (anáfora de "impossível"; repetição de palavras e estruturas morfo-sintáticas: "compor um poema", "escrever um poema"; hipérbole: "uma linha que seja"), pela combinação sintagmática de efeito "bonito" ("altura da evolução da humanidade", "verdadeira poesia") — procedimentos esses que se articulam para imprimir ao conjunto uma dicção solene e grave, com algo de peça oratória, à qual o poeta ambiguamente confere certo cunho parodístico.

Na passagem da primeira para a segunda estrofe, o discurso poético sofre uma reviravolta: o ritmo se acelera, o tom passa a ser flagrantemente humorístico, os recursos de ênfase se aproximam dos usados na linguagem coloquial e se compõe para o leitor uma imagem comicamente deformada do progresso tecnológico.

Seguem-se a constatação, em registro tragicômico, do descompasso entre desenvolvimento tecnológico e aperfeiçoamento humano, e a escancarada-velada intromissão do eu autoral no último verso, que contradiz a impossibilidade de se "escrever um poema" tão peremptoriamente afirmada na primeira estrofe:

Os homens não melhoraram
e matam-se como percevejos.
Os percevejos heróicos renascem.
Inabitável, o mundo é cada vez mais habitado.
E se os olhos reaprendessem a chorar seria um segundo
[dilúvio.
(Desconfio que escrevi um poema.)

Colocando entre parênteses um verso de importância decisiva no texto, procedimento de que se vale com freqüência, Drummond ironicamente inverte (e subverte) o valor habitual desse sinal gráfico, que é geralmente utilizado para conter uma informação acessória.

Como o verso "(Desconfio que escrevi um poema.)" remete diretamente à primeira estrofe, desmentindo-a, e como essa estrofe se distingue pelo discurso grave, solene e pomposo, "O sobrevivente" autoriza a interpretação que nele perceba o questionamento da possibilidade de existência, no novo momento histórico-cultural demarcado pela Primeira Guerra Mundial, *daquele* tipo de discurso, prestigiado pela poesia de aura do passado, e que ele parodiaria na primeira estrofe. O poema diria então que não há mais lugar para a poesia sacralizada do passado e que só a linguagem dessacralizadora é compatível com a realidade da época.

Essa não é, no entanto, a única significação do poema. Drummond acena matreiramente com a perspectiva de uma leitura aberta, estimulada pela ambigüidade do seu discurso, que incita também a interpretação de que o texto questiona a inviabilidade-viabilidade da poesia em geral — seja qual for sua natureza — na civilização industrial e tecnológica.

Nesse sentido, "O sobrevivente" contextualiza historicamente o dilema que perseguirá o poeta em sua trajetória, em relação à qual assume valor de premonição. Poesia que parece gerar-se da angustiada indagação sobre a possibilidade-impossibilidade da poesia e que não encontra outra maneira de responder-se senão no próprio processo de fazer-se a si mesma em incessante autotestarse, a obra de Drummond se define como "posse impura" ("O lutador", J) da poesia, traumatizada por desconfianças, retraimentos, paradoxos e conflitos.

Inspirado na caracterização da ironia como bufoneria transcendental feita por Friedrich Schlegel, Muecke elege a figura do palhaço na corda bamba como metáfora do relacionamento do ironista romântico com sua obra. Nos termos em que ele a apresenta e desenvolve, essa metáfora parece-nos adequada para descrever, com propriedade e criatividade, o que ocorre em "O sobrevivente" e em vários outros poemas de Drummond. Muecke parte do confronto entre o acrobata comum, que executa seus passos de modo sério, e o palhaço, o qual finge ter medo de altura, finge cair e talvez até caia, mas o arame o segura por um de seus enormes botões, e ele se levanta e corre o resto do caminho e chega rapidamente ao fim da travessia. O tempo inteiro o palhaço mostra-se muito mais hábil do que seu companheiro acrobata; ele elevou o andar na corda bamba à mais alta potência, pelo fato de atuar simultaneamente em dois níveis: como um palhaço e como um perito em corda bamba, demonstrando ao mesmo tempo tanto a possibilidade quanto a impossibilidade de nela andar.[19]

Ainda que constitua o assunto de vários poemas de Drummond, a tensão impossibilidade-possibilidade da poesia ultrapassa essa condição: mais do que tema, ela se configura como a própria dinâmica que funda e enforma a obra do poeta, sem necessariamente emergir à camada referencial do texto como algo de que ele fala. Seu modo de existir é mais subterrâneo: movimento propulsor de contínuos questionamentos do autor, que o impedem de fixar-se em certezas, que o levam a desdizer-se e contradizer-se, para em seguida reafirmar o que acabara de negar.

Enquanto tema, nem sempre o poeta a focaliza com distanciamento irônico ou na clave do *humour*, como em "O sobrevivente". Ele a modula em registros diversos e lhe imprime com freqüência dicção grave e séria, que não dissimula o mal-estar, a angústia, a insatisfação que lhe provoca o "duro ofício de se exprimir". ("Aliança", NP)

Drummond não deixa no entanto que a insatisfação imobilize a sua fala em discurso monocórdio sobre a inacessibilidade da palavra poética, não se deixa apossar por uma subjetividade imoderada nem se entrega ao envolvimento total com o seu poema. Adota, ao contrário, a estratégia da ironia romântica, no que esta propõe de objetivação da subjetividade, de perspectiva distanciada diante da própria obra, de prescrição de um relacionamento ambivalente do artista com sua arte, pautado na dualidade reverência-irreverência, única atitude que torna o criador apto a enfrentar os desafios e contradições da criação sem neles enredar-se e aprisionar-se, preservando a mobilidade e liberdade do espírito.

Para Drummond o ato criador pressupõe agonia e angústia, identificando-se o poeta como ser que "sofrerá tormenta / no melhor momento" ("Os bens e o sangue", CE). Postas em foco com a ótica liberadora da ironia romântica, essa angústia e essa agonia se transmutam em "Isso é aquilo" (LC) na zombeteira equação: "a arte o infarte". E a luta com as palavras, dramatizada em "O lutador" (J), desdramatiza-se ironicamente na combinatória: "a palavra a lebre".

A auto-referenciação tão freqüente na poesia de Drummond se organiza em uma constelação de signos que podem ser lidos como metáforas de seu comportamento de ironista romântico-moderno. São em geral signos que denotam ou conotam movimento. O segundo termo da autodefinição feita em terceira pessoa — "mas que por frágil é ágil" ("Os bens e o sangue") — aponta a solução para os conflitos do ato criador: só a agilidade e leveza de espírito possibilitam ao poeta dribá-los e enganá-los, saindo de sua obra para enfocá-la com perspectiva descensional e galhofeira. A rima *frágil-ágil* consolida a assimilação semântica entre os dois termos, que compõem uma imagem do poeta similar à do palhaço na corda bamba usada por Muecke.

Em "Poema-orelha" (VPL), o verso "um não estar-estando" sugere a dinâmica adentramento-distanciamento do ironista romântico em relação à sua obra, expressando o seu ideal de objetivação da subjetividade.

Em "Legado" (CE), Drummond metaforiza o seu percurso poético em "passo caprichoso"; no contexto do poema, o adjetivo é intensamente polissêmico, pois aglutina a sua própria significação e as múltiplas significações dicionarizadas do substantivo *capricho*. O sintagma caracteriza com pertinência e agudeza o peculiar trajeto drummondiano, que repudia a linearidade e se realiza em idas e vindas, voltas e reviravoltas, contradições e retomadas que configuram a sua poesia como obra em processo.

Curiosamente a metáfora mais espetacular e surpreendente — e mais sugestiva — de sua atitude de ironista romântico-moderno, Drummond a apresenta em seu livro de estréia:

> Meu verso me agrada sempre...
> Ele às vezes tem o ar sem-vergonha de quem vai dar
> [uma cambalhota,
> Mas não é para o público, é para mim mesmo essa
> [cambalhota.
>
> ("Explicação", AP)

Ultrapassando o espaço de *Alguma poesia* e tendo confirmada a sua validade ao longo do trajeto do poeta como representação metafórica de uma de suas vertentes mais transgressoras e iconoclastas, a imagem da "cambalhota" atesta o nível de maturidade e consciência do estreante Drummond no reconhecimento dos traços pertinentes e inerentes ao seu processo criador. Signo não apenas do retrato do artista quando jovem, mas também do artista maduro e de sempre, a "cambalhota" metaforiza alguns traços decisivos da individuação de sua arte: o *humour*, a disponibilidade lúdica, a liberdade interior para brincar com todos os valores e para sorrir e zombar de si mesmo enquanto poeta.

A atitude do ironista romântico, porém, não é unívoca, mas ambígua, e não exclui portanto a seriedade e a gravidade. A propósito de *Wilhelm Meister* de Goethe, Friedrich Schlegel alerta para o perigo de uma percepção redutora da ambivalência do autor: se ele parece tratar superficialmente os acontecimentos e os personagens, referir-se ao herói quase sempre com ironia e sorrir de sua obra-prima do alto do seu gênio, que o leitor não pense por isso que ele não põe em sua criação o sério mais sagrado.[20]

A ironia romântica de Drummond tem a sua ambigüidade preservada: se ele fala galhofeiramente e ri com irreverência de sua obra, ao mesmo tempo caracteriza a sua atividade de poeta como ato existencial que envolve a totalidade de seu ser: "é toda a minha vida que joguei" ("Consideração do poema", RP).

Tentativa de redução do irredutível

A relação entre arte e mundo, Drummond a percebe de ângulo irônico, polarizando-a na oposição infinitude do real *versus* finitude da arte. Concordam, portanto, a sua perspectiva e a da ironia romântica, que fez desse conflito tema freqüente de indagação filosófico-literária.

Se "o que não é poesia não tem fala" ("Conclusão", FA), a poesia só existe efetivamente quando se concretiza em objeto verbal, modo de existência que pressupõe finitude, estaticidade, imutabilidade. A partir desse pressuposto, parece impossível à poesia conformar o mundo — infinito, dinâmico, em incessante devir:

> Este verso, apenas um arabesco
> em torno do elemento essencial — inatingível.
> Fogem nuvens de verão, passam aves, navios, ondas.
> e teu rosto é quase um espelho onde brinca o incerto
> [movimento,
> ai! já brincou [...]
> ....
> [...] não mais
> que um arabesco, apenas um arabesco
> abraça as coisas, sem reduzi-las.

Impasse análogo ao exposto em "Fragilidade" (RP) — sintomático título do poema a que pertencem esses versos — constituiu motivo de reflexão de Friedrich Schlegel, sintetizada no seguinte fragmento: "Todos os jogos sagrados da Arte não são mais que longínquas imagens do jogo infinito dos mundos, da infinita obra-prima em perpétuo movimento."[21]

Drummond se defronta com a necessidade-impossibilidade de resolver a contradição entre o que a poesia é e o que a poesia se quer: configuração verbal limitada ou "forma definitiva e concentrada no espaço" ("Procura da poesia", RP) *versus* representação simbólica do mundo infinito, sem limites, em permanente mutação.

Em decorrência, a percepção irônica da poesia define o fazer poético como experiência e exercício do paradoxo:

> [...] componho
> o que já de si repele
> arte de composição.
> ....
> E nada me segue de
> quanto venho reduzindo
> sem se deixar reduzir.
> ("Aliança", NP)

Se por um lado a poesia inexiste enquanto não se cristaliza verbalmente, por outro, ao cristalizar-se em verbo definitivo, morre no que não conseguiu formular, pois o mundo é "irredutível ao canto, superior à poesia" ("Rola mundo", RP). Projeto de reduzir o irredutível, a canção é suicida, o verso é câncer, a poesia, morte secreta. A tensão formulado-informulado institui a poesia como ambíguo jogo de ganho-perda, de vida-morte. Ao configurar-se em forma verbal, a poesia poderia dizer: "ganhei (perdi) meu dia". ("Elegia", FA)

> Poesia, sobre os princípios
> e os vagos dons do universo:
> em teu regaço incestuoso,
> o belo câncer do verso.

Azul, em chama, o telúrio
reintegra a essência do poeta,
e o que é perdido se salva...
Poesia, morte secreta.
(“Brinde no banquete das Musas”, FA)

O Eu Infinito *versus* o Mundo Finito

A ironia romântico-moderna, em seu constante exercício do paradoxo, reverte os valores da equação homem = finito, mundo = infinito, e a impele para o pólo oposto, redimensionando-a na dualidade finitude do mundo-infinitude do Eu. Este se afirma como essencialmente dinâmico e livre, atividade progressiva sem limites —

pois o centro era eu de tudo,
como era cada um dos raios
desfechados para longe,
alcançando além da terra
ignota região lunar.
(“Sonho de um sonho”, CE)

— em confronto com o mundo limitado:

Meu bem, o mundo é fechado
(“Cantiga de enganar”, CE)

Da relação especular entre as duas esferas de realidade resulta uma imagem dupla: o homem é livre e infinito enquanto imaginação e espírito, mas limitado e finito enquanto ação. Por sua dissonância entre ação e pensamento, Hamlet encarna, segundo Friedrich Schlegel, o protótipo do herói trágico da modernidade. A ironia romântica assume portanto o idealismo de Fichte: “O Eu produz a atividade real como limitada, e a ideal como ilimitada.”[22]

Estruturando uma das matrizes semânticas da poesia de Drummond, a tensão entre realidade e idealidade se processa segundo uma dinâmica irregular. Ora o poeta se equilibra entre os dois pólos — "balançando entre o real e o irreal" — ora se sente mais atraído por um deles: "[...] e só me punja a saudade da pátria imaginária." ("Prece de mineiro no Rio", VPL)

Em "Especulações em torno da palavra homem" (VPL), o discurso interrogante de feição socrática instala a perplexidade da aporia:

> Que milagre é o homem?
> Que sonho, que sombra?
> Mas existe o homem?

Nele, no entanto, já parece insinuar-se a prerrogativa que se atribui o ironista romântico de negar substancialidade ao real quando o confronta com as prefigurações do ideal.

No conjunto da obra de Drummond, "Sonho de um sonho" e "Cantiga de enganar" dramatizam de forma decisiva e exemplar o conflito entre limitação do real e infinitude do ideal travado pela ironia romântica. A localização dos dois poemas no espaço de *Claro enigma* se investe de valor significativo; sua relação de seqüência imediata os articula como cara-coroa da mesma moeda: no primeiro o real ironiza o ideal, no segundo o ideal ironiza o real, em esvaziamento recíproco. Em ambos, o conflito entre o Eu dinâmico e infinito e o Não-eu estático e limitado: "estreita clausura física" e "paredes degradadas".

Na sua "coextensibilidade do Eu e da própria representação",[23] a ironia romântica alemã filia-se ao monismo idealista de Fichte, para quem "só há em última análise, um único mundo que é o do Eu puro. A esfera do Não-eu é derivada da do Eu e todo dualismo é superado pela consideração do Não-eu como mero produto do Eu puro."[24]

Esse Eu puro, produtor de toda a realidade em seus múltiplos fenômenos, não deve ser confundido com os "eus" substanciais e particulares das pessoas empíricas.[25] Trata-se de um Eu transcendental, supra-individual, de um princípio metafísico que "subjaz às consciências individuais como entidade ativa, pura, livre, absoluta".[26]

Quer resultem de ecos diretos ou mediados por outros autores, quer de uma convergência casual de espíritos, questões suscitadas pelo monismo idealista de Fichte freqüentam a obra de Drummond — sem assumirem, claro está, rigor de sistema filosófico ou exatidão de arcabouço teórico, antes caracterizando-se pela ambigüidade e liberdade próprias à criação poética.

Em "A suposta existência" (PM), Drummond, de modo mais linear e explícito, tece especulações em torno de interpretações filosóficas de natureza idealista. Estruturado como verso e reverso de uma mesma indagação fundamental em que se consubstancia a "teima interrogante de saber" que espicaça o poeta, em sua primeira face o poema questiona a existência de coisas em si, problematizando portanto a existência e autonomia de uma realidade extramental. Nas perguntas que se propõe Drummond, nas hipóteses que levanta, ressoam concepções do monismo de Fichte e sua lição de que o universo das coisas é um produto do Eu:

> Como é o lugar
> quando ninguém passa por ele?
> Existem as coisas
> sem ser vistas?
>
> O interior do apartamento desabitado,
> a pinça esquecida na gaveta,
> os eucaliptos à noite no caminho
> três vezes deserto,
> ....
> nós, sozinhos
> no quarto sem espelho?
> ....
> ....
> Estrela não pensada,
> palavra rascunhada no papel

que nunca ninguém leu?
Existe, existe o mundo
apenas pelo olhar
que o cria e lhe confere
espacialidade?

Em seu segundo momento, no entanto, "A suposta existência" inverte os termos de sua perquirição, agora direcionando-a para o questionamento da autonomia e substancialidade do sujeito:

Ou tudo vige
planturosamente, à revelia
de nossa judicial inquirição
e esta apenas existe consentida
pelos elementos inquiridos?
....
exercito a mentira de passear
mas passeado sou pelo passeio,
que é o sumo real, a divertir-se
com esta bruma-sonho de sentir-me
e fruir peripécias de passagem?

Como ocorre freqüentemente em sua obra, as perguntas que se faz Drummond não encontram resposta unívoca e o poema, em vez de encaminhar-se para um final de apaziguamento da dúvida, desemboca na manutenção do dilema.

"Procura" (VPL), no entanto, decide-se pelo idealismo monista, negando substancialidade objetiva ao real, que se apaga quando cessa no sujeito a imaginação que o produzira:

Depois, colóquios instantâneos
liguem Amor, Conhecimento
como fora de espaço e tempo hão de ligar-se,
e breves despedidas
sem lenços e sem mãos
restaurem — para outros — na esplanada
o império do real, que não existe.

A concepção de que o mundo das representações procede da atividade pura e livre do Eu pode radicalizar-se na conversão do real em aparências e na sua dissolução pelo mesmo Eu que o produzira — dupla atuação da ilimitada soberania do Eu, que provocou a violenta crítica de Hegel e as restrições de Kierkegaard à ironia romântica.

Essa dinâmica produtora-extintora do real se realiza metaforicamente na dinâmica da linguagem de "Cantiga de enganar" (CE), na qual o sujeito poético produz representações e cria significações para em seguida negá-las, em contínua operação subtrativa:

> Meu bem, o mundo é fechado,
> se não for antes vazio.
> O mundo é talvez: e é só.
> Talvez nem seja talvez.
> O mundo não vale a pena,
> mas a pena não existe.
> ....
> Façamos, meu bem, de conta
> — Mas a conta não existe —
> ....
> Meu bem, sejamos fortíssimos
> — mas a força não existe —
> e na mais pura mentira
> do mundo que se desmente,
> recortemos nossa imagem,
> mais ilusória que tudo,
> pois haverá maior falso
> que imaginar-se alguém vivo,
> como se um sonho pudesse
> dar-nos o gosto do sonho?
> Mas o sonho não existe.

O livre movimento da subjetividade volatiza as aparências empíricas e esfuma as palavras em confusionistas jogos de enganar: a aparente tautologia se desfaz em homonímia ("mundo", "talvez", "sonho"); a frase-feita recupera a pertinência semântica ("... a boca do mundo? / ... o mundo é fechado"; "façamos ... de conta / ... a conta não existe"); as classes gramaticais se alteram e alternam ("talvez"); o significante muda de significado ("vale": verbo → substantivo). No discurso isomorfo do poema, mundo e linguagem se transformam em jogo de fazer de conta.

Em "Cantiga de enganar", a ironia romântica de Drummond encontra uma de suas realizações mais plenas e completas, ascendendo ao estatuto de categoria filosófica e metafísica. Ela adquire significação similar à que lhe atribuiu o Romantismo alemão, o qual, a partir da filosofia fichtiana do Eu e da liberdade, postulava que, se a realidade exterior é precária e não preenche o ideal concebido pelo espírito humano, este deve sentir-se livre para revogá-la, imergi-la no nada e dele fazer surgir um mundo novo.[27]

Na ironia romântica, a relação entre o artista e a sua obra é homóloga à relação entre o Eu e o mundo. Assim como a subjetividade livre desfaz o real das representações que lhe imprimira, o eu artístico joga com a ilusão de real e de vida que criara em sua obra, dialeticamente tecendo-a e destecendo-a. A ruptura da ilusão artística ganha assim significado mais complexo, integrando-se no conjunto dos pressupostos filosóficos em que se fundamenta a ironia. Contra essa reiterada manifestação da liberdade do Eu voltaram-se Hegel e Kierkegaard.

Hegel reduz a polivalência da ironia romântica, interpretando-a como signo unívoco de negatividade diante do real: desprovendo a realidade de conteúdo objetivo e valor imanente, em incessante operação de esvaziamento que atingiria o seu próprio eu, o ironista mergulharia, segundo ele, num vazio morbidamente inativo.[28] Kierkegaard prossegue o ataque ao Romantismo, que considera negativo e destrutivo, identificando liberdade absoluta a descompromisso ético, e acusando-o de abismar-se no nada e submergir no repouso do nirvana.[29] Vladimir Jankélévitch se incorpora a essa corrente interpretativa, qualificando a ironia romântica de ironia niilizante e "indiferença quietista".[30]

É fato que a poesia de Drummond apresenta sinais intermitentes da tentação e sedução do niilismo (cf. "Minha matéria é o nada", "Nudez") e no seu trajeto irônico se registra um momento de quietismo indiferente e descrença ética:

> Aspiro antes à fiel indiferença
> mas pausada bastante para sustentar a vida
> e, na sua indiscriminação de crueldade e diamante,
> capaz de sugerir o fim sem a injustiça dos prêmios.
> ("Aspiração", CE)

Essa não constitui no entanto a tônica de sua ironia romântico-moderna, a qual incide sobre "Cantiga de enganar" (CE). No final do percurso de progressivas negações que aniquilam o contingente por contrastá-lo implicitamente com o absoluto, e após reduzir tacitamente o mundo a "uma faca sem lâmina e sem cabo",[31] a cantiga, ao contrário do que fazia esperar, não desemboca na negatividade e no nada. Engana o leitor, e o incita a atualizar com plenitude suas virtualidades humanas bloqueadas no "mundo-como-se-repete" ("A mão", LC), e o estimula a transcender o real, e *ser* integralmente, pelo poder do espírito e da linguagem sendo o que seria no espaço do ideal:

> Meu bem, usemos palavras.
> Façamos mundos: idéias.
> ....
> Meu bem, assim acordados,
> assim lúcidos, severos,
> ou assim abandonados,
> deixando-nos à deriva
> levar na palma do tempo
> — mas o tempo não existe —,
> sejamos como se fôramos
> num mundo que fosse: o Mundo.

Em "Cantiga de enganar", em "Isso é aquilo" (LC) e no diálogo entre os dois poemas, a ironia romântica drummondiana investe-se de função e significação análogas às assinaladas por Albert Béguin na obra de Ludwig Tieck:

em relação aos dados sensíveis, a ironia será uma escola da dúvida, permitindo recusar ao mundo "tal qual ele é" um grau de realidade absoluta e definitiva e o substituindo, por meio do mutante dado psíquico, por um mundo cambiante, móvel, incessantemente imprevisível.[32]

O Espaço Livre da Poesia (ou um mundo que fosse: o mundo)

Isso é aquilo

I

O fácil o fóssil
o míssil o físsil
a arte o infarte
o ocre o canopo
a urna o farniente
a foice o fascículo
a lex o judex
o maiô o avô
a ave o mocotó
o só o cambaqui

II

o gás o nefas
o muro a rêmora
a suicida o cibo
a litotes Aristóteles
a paz o pus
o licantropo o liceu
o flit o flato
a víbora o heléboro
o êmbolo o bolo
o boliche o relincho

III

o istmo o espasmo
o ditirambo o cachimbo
a cutícula o ventríloquo
a lágrima o magma
o chumbo o nelumbo
a fórmica a fúcsia
o bilro o pintassilgo
o malte o gerifalte
o crime o aneurisma
a tâmara a Câmara

IV

o átomo o átono
a medusa o pégaso
a erisipela a elipse
a ama o sistema
o quimono o amoníaco
a nênia o nylon
o cimento o ciumento
a juba a jacuba
o mendigo a mandrágora
o boné a boa-fé

V

a argila o sigilo
o pároco o báratro
a isca o menisco
o idólatra o hidrópata
o plátano o plástico
a tartaruga a ruga
o estômago o mago
o amanhecer o ser
a galáxia a gloxínia
o cadarço a comborça

VI

o útil o tátil
o colubiazol o gazel
o lepidóptero o útero
o equívoco o fel no vidro
a jóia a triticultura
o *know how* o nocaute
o dogma o borborigmo
o úbere o lúgubre
o nada a obesidade
a cárie a intempérie

VII

o dzeta o zeugma
o cemitério a marinha
a flor a canéfora
o pícnico o pícaro
o cesto o incesto
o cigarro a formicida
a aorta o Passeio Público
o mingau a *migraine*
o leste a leitura
a girafa a jitanjáfora

VIII

o índio a lêndea
o coturno o estorno
a pia a piedade
a nolição o nonipétalo
o radar o nácar
o solferino o aquinatense
o bacon o dramaturgo
o legal a galena
o azul a lues
a palavra a lebre

IX

o remorso o cós
a noite o bis-coito
o cestércio o consórcio
o ético a ítaca
a preguiça a treliça
o castiço o castigo
o arroz o horror
a nespa a vêspera
o papa a joaninha
as endoenças os antibióticos

X

o árvore a mar
o doce de pássaro
a passa de pêsame
o cio a poesia
a força do destino
a pátria a saciedade
o cudelume Ulalume
o zunzum de Zeus
  o bômbix
  o ptyx

O poema o dicionário

Em "Isso é aquilo" (LC) não se mostra patente, de imediato, o valor de reflexão sobre a própria poesia; nele o jogo mágico com as palavras se realiza sem a intervenção explícita do eu autoral, que efetua seus lances em silêncio — "sinal de menos" enriquecedor da polivalência do texto, que se converte para o leitor aturdido em lugar de feérico desdobramento de significações.

Apesar de sua aparente incoerência, o jogo com as palavras enquanto matéria sonora descomprometida de finalidade comunicativa, e a livre atividade do pensamento desinteressado, não implicam ausência de sentido. Possuindo uma lógica própria, que fere a lógica habitual instituída no discurso reflexivo, criam uma significação global interna, que se peculiariza por elevar à mais alta potência a ambigüidade do signo poético.

Nomeada "Palavra", a seção em que se insere o poema norteia o leitor quanto à prioridade de significações metapoéticas, e alguns índices o autorizam a identificar a implícita oposição entre semantismo lingüístico e semantismo poético como uma de suas propostas básicas.

O título "Isso é aquilo" verbaliza a equação metalingüística subjacente nos dicionários e tácita na justaposição de vocábulos do texto, funcionando como elo entre os dois discursos, que se conotam ainda pela adoção de um princípio organizador homólogo. Se o dicionário dispõe os verbetes segundo um dado sensível — a ordem que seus sinais ocupam no alfabeto —, nele convivem em situação de vizinhança imediata vocábulos que apresentam entre si semelhança fônica e gráfica. Efetuando-se cortes na continuidade do material arrolado no dicionário, obtêm-se zonas de ecolalia — figura que, ora mais flagrante, ora mais discreta, organiza a maioria das combinações do poema. A última palavra do texto — *ptyx* —, de origem grega, que pode significar em poesia *concha* ou *caracol*, assume portanto o valor de metáfora estrutural do poema, por remeter conotativamente à ecolalia que preside à sua composição.*

---

* O valor metafórico de *ptyx* é mais abrangente. Em sua significação originária de "dobra", aponta para a estrutura binária da grande maioria das combinações do

"Isso é aquilo" inclui, pois, em seu modo de ser, um "estado de dicionário" ("Procura da poesia", RP), objetivado ainda na coexistência, no mesmo espaço, de palavras procedentes da mais variada origem e relativas a heterogêneos setores de conhecimento. Mas o inclui dialeticamente para subvertê-lo, instalando a desordem naquela ordem, pela manipulação de valores rítmico-melódicos que nela são aleatórios e pela criação de afinidades semânticas por ela não referendadas.

Dicionário poético, "Isso é aquilo" estabelece entre as palavras correspondências de significação inestabelecíveis pelo "estado de dicionário" lingüístico, sua estruturação indiciando que, em poesia, a sinonímia (e antonímia) se elabora por princípios diversos dos que regulamentam a sinonímia na língua. Na sua estrutura aberta, dinâmica e progressiva, que poderia estender-se *ad infinitum*, "Isso é aquilo" desvenda como fator fundamental de construção do espaço poético a liberdade de instaurar correlações interditas no espaço social da língua.

O poema se configura como dicionário analógico da língua poética, cujas analogias, porque suscitadas por dados fônicos, rítmicos e melódicos, e porque fundadas em nexos individuais e/ou supralógicos, garantem a peculiaridade do seu semantismo, caracterizado pela contradição dependência-independência do semantismo lingüístico.

Valendo o dicionário como lugar metonímico da língua, "Isso é aquilo" ao mesmo tempo concretiza e revela as relações entre poesia e sistema lingüístico travadas na obra drummondiana.

O poeta raramente recorre a recursos tipográficos mais insólitos ou a uma disposição visual mais inusitada (exceção feita a

---

texto. Em "Stéphane Mallarmé: o soneto em ix" (*Signos em rotação*) Octavio Paz assume a interpretação do termo proposta por J.-P. Richard: "o caracol é uma estrutura que se dobra sobre si mesma" e "a dobra é uma forma vital da reflexão: pensar, refletir, é dobrar-se". Essa leitura parece-nos válida para o poema de Drummond; na acepção de "caracol", *ptyx* metaforiza a condição ambivalente de "Isso é aquilo": a de palavra mágica, criada em parte pela ecolalia, e a de palavra reflexiva, pois o poema fala de si mesmo e da poética do autor.

alguns poemas de *Lição de coisas*), embora utilize expressivamente o branco da página como área de silêncio significativo e fator espacial de dinamismo rítmico. Em geral também repudia a invenção de signos abstratos das experiências letristas, futuristas e paralelas. Rejeitando esses procedimentos — de permanente ou intermitente sedução nas vanguardas contemporâneas —, a poesia de Drummond se afirma fundamentalmente compromissada com o signo lingüístico. O caráter icônico do discurso poético, ele o obtém mediante outros comportamentos, ligados a valores verbais, e à retórica da palavra.

O questionamento sobre a impossibilidade-possibilidade da poesia, questionamento que instiga e aciona a sua obra, assimila-se em parte ao conflito desconfiança-confiança na palavra. O processar-se da obra implica testar a eficiência poética do símbolo lingüístico, cuja precariedade se agrava num tempo histórico que impele à maximização de valores visuais no discurso verbal, a fim de assegurar-lhe um lugar numa cultura à qual novas formas e veículos de comunicação impõem o crescente prestígio da imagem. Nessa civilização do ver, Drummond tenta preservar o lugar da poesia — ameaçada ainda por outras forças — fundamentalmente enquanto verbo. Seu Texto consubstancia um ato de desafio, e uma profissão de fé — ainda que problematizada por dúvidas — na palavra.

É no sistema lingüístico, em conseqüência, que existem virtualmente os poemas, e o "dicionário" compõe a imagem poética dessas virtualidades ("Procura da poesia", RP). Atualizá-las, metamorfoseando um "estado de dicionário" em estado de poesia, obriga o poeta a conferir aos poemas que nele se encontram "mudos" uma fala própria. Inaugurar uma linguagem diferenciada, a partir de uma situação originária de dependência em relação ao sistema da língua, constitui a operação distintiva da poesia, e a sua luta mais específica.

Na medida em que os signos lingüísticos desempenham uma função referencial socialmente codificada, que os remete ao mundo dos objetos, a poesia se debate entre o contingente e o absoluto, entre a impureza da referência ao universo das coisas e a aspiração à pureza de uma linguagem abstrata, que se codifique segundo relações imanentes. Em maior ou menor grau, portanto, todo poema corporifica *as impurezas do branco*, e usar a palavra como coisa em si, liberada da função pragmática de mediatizar significações, converte-se em obsessivo anseio dos poetas que ambicionam fazer da poesia uma linguagem auto-suficiente.

Semelhante ambição, se inconsciente e tácita em toda poesia, assume consciência e voz no Romantismo alemão, especialmente nas reflexões de Novalis, autor que antecipa a perspectiva dominante na lírica contemporânea — a qual reivindica, com insistência desconhecida no passado (exceção feita ao próprio Novalis), a autonomia do espaço poético.[33]

Nessa empresa comum, a individualidade de Drummond se afirma no empenho ambivalente de realizar o poema como "exílio das palavras" ("Remissão", CE) que jogam só consigo mesmas, e ao mesmo tempo extrair de sua "bolsa" mágica de signos "uma cidade, uma flor, uma experiência, um colóquio de guerreiros, uma relação humana" ("Aliança", NP), criando realidades identificáveis pelo leitor. Esse anseio de comunicar não implica, no entanto, a submissão à visão embotada pelo hábito, que se circunscreva à superfície dos objetos; ao contrário, ele se perfaz no dirigir o olhar do outro para o adentramento e a visão inaugural da realidade: "Eu preparo uma canção / que faça acordar os homens". ("Canção amiga", NP)

Outros fatores de diferenciação de Drummond residem na sua mobilização pelo contexto do "tempo presente" ("Mãos dadas", SM) e na irrecorrível necessidade de confidenciar-se e configurar um eu lírico intransferível. A conquista de um espaço de linguagem autônomo que não prejudique fundamentalmente a legibilidade e comunicação das experiências do Eu e sua pessoal "inteligência do universo" ("Versos à boca da noite", RP), mais o enraizamento no real histórica e socialmente definido que não comprometa a auto-suficiência do discurso poético, constituem sinais combinados que problematizam em termos inconfundíveis na obra de Drummond a tensão entre as impurezas e as purezas do branco.

Para construir o espaço livre da poesia, ele se impõe um agenciamento específico do signo verbal, apto a elaborar um sistema de notações que proponha o confronto entre linguagem poética e linguagem pragmática, entre realidade empírica e realidade lírica, entre o código da língua e o código do poema. Porque utiliza os signos do sistema lingüístico, a poesia não se pode furtar a um processo de transcodagem externa; porque os articula de forma própria, cria uma língua artificial, mediante um processo de transcodagem interna, semelhante ao da música e da álgebra.

Vivendo dois modos de existência, ao mesmo tempo estrutura mágica — *mobile* verbal em vertiginosa metamorfose de palavras imantadas — e estrutura reflexiva sobre o fazer-se da magia, "Isso é aquilo" realiza e desvenda as coordenadas da combinatória de signos instauradora da autonomia do espaço poético drummondiano.

Se nos demais textos do autor essa combinatória garante a eficácia e o apelo de sua linguagem, as normas que a orientam não se percebem com o mesmo teor de visibilidade, em virtude do verso discursivo e da divisão da atenção do leitor entre o jogo poético-lingüístico e a informação relativa a outros contextos que não o próprio processo de composição poética. A ruptura do verso discursivo no nível estrutural, e a auto-referenciação no nível representativo, criam um estado de concentração em "Isso é aquilo" e no receptor — concentração que torna mais evidentes os princípios gerais da combinatória sígnica do poeta.

O componente antiilusionista, registrável nesse poema quando considerado nos limites de sua intratextualidade, enriquece-se de um novo valor quando articulado com os textos com os quais dialoga em *Reunião*: o de iluminar a operação poética de Drummond, fundadora da magia de sua linguagem, de seu poder de criar realidades e tecer a ilusão de vida. Lido intertextualmente, ele fala em nome de sua poesia: "Tenho sinais combinados." ("Desfile", RP)

A ironia romântico-moderna, enquanto instalação do artista no interior de sua obra, para desmontá-la e exibir-lhe a engrenagem, movimento índice de superioridade sobre o seu material — que ele manipula com o "ar sem-vergonha de quem vai dar uma cambalhota" — e de liberdade para construir-destruir a ilusão que criou, executa em "Isso é aquilo" a sua mais audaciosa *performance*.

A palavra *Encanto* ou as palavras que ninguém fala

"Isso é aquilo" dinamiza vocábulos procedentes das mais diversas áreas, compondo uma peça musical de plurissonas vozes, as mais corriqueiras e as mais raras, gregas e inglesas, francesas, italianas e latinas, cultas e neológicas, da fala comum e das falas especiais — da botânica, astronomia, arquitetura, filosofia, química, zoologia, poética, medicina.

Apesar de seu efeito global imediato contrastar com o dos demais poemas de *Reunião*, esse léxico concretiza o princípio geral que preside à seleção vocabular drummondiana: o ecletismo. A combinação "o castiço o castigo" registra o repúdio a restrições lingüísticas, válido para a totalidade da produção do autor, para quem qualquer palavra — "fricotes" ou "diluculares" (respectivamente "A mesa" e "Contemplação no banco", CE) — contém uma potencialidade poética, atualizável pelo contexto rítmico e semântico em que ela se inclui.

No conjunto da obra de Drummond, "Isso é aquilo" se peculiariza, no entanto, pela elevada incidência de termos de escassa divulgação, inusitados significantes portadores de significados desconhecidos — "mil palavras-inertes à espera" nos dicionários "saltam" para o poema, regido pela "palavra Encanto". ("Palavras no mar", J)

Na tensão ilusionismo-antiilusionismo em que se equilibra o texto, esse insólito vocabulário atua ambivalentemente, ao mesmo tempo vivendo e demonstrando o modo pelo qual as palavras existem para o poeta: materialidade tangível de "pele" e "música".

A partir dessa existência sensível, as palavras em estado de poesia configuram uma prática lingüística especial frente ao uso social da língua, que delas se serve utilitariamente como mediadoras de significações, sem explorarem sua textura física enquanto fonte de prazer lúdico.

Recorrendo a significantes exóticos de significados dificilmente devassáveis sem o auxílio de dicionários, ou de significados imprecisos para o leitor, "Isso é aquilo" bloqueia a transitividade do signo, aciona como fator de sugestão sua conformação sonora, e se cria como arabesco musical. Com eles enlaçadas, as palavras da cotidiana experiência lingüística de todos se subtraem à banalidade a que as relega o consumo pragmático, e soam como inéditas, recobrando o seu sortilégio, graças ao agenciamento que detém a percepção no seu desenho acústico. Cumpre-se assim a primeira função do poeta: "Aprendi novas palavras / e tornei outras mais belas". ("Canção amiga", NP)

Embora tendo resgatado os seus valores lúdicos, essas palavras do repertório diário coletivo não se depuram da referência aos seres e conceitos que designam. A combinação léxica do texto instaura e mostra a ambigüidade existencial que peculiariza a fala poética: sua tensão discurso figurativo-discurso abstrato.

Sem pôr em risco o seu valor de peça irrepetível, o que se verifica em "Isso é aquilo" não é exclusivo dele, mas coextensivo aos outros poemas de Drummond, em relação aos quais funciona como potente amplificador. Os vocábulos raros e desconhecidos nele vivem *flagrantemente* o modo pelo qual atua toda e qualquer palavra, até mesmo uma rotineira fórmula de cumprimento, quando em estado de poesia — como palavra vista e ouvida pela primeira vez:

> Bom dia: eu dizia à moça
> que de longe me sorria.
> Bom dia: mas da distância
> ela nem me respondia.
>
> ("Canção para álbum de moça", CE)

Por efeito de um arranjo peculiar que as libera da percepção automatizada, as palavras que todo mundo diz se metamorfoseiam em "palavras que ninguém fala".[34] A alquimia poética transforma a moeda corrente da língua em moeda rara.

A ironia romântico-moderna de "Isso é aquilo" se acompanha de uma tácita advertência ao leitor. Antevendo-lhe a sensação de estranheza diante de um vocabulário com tantos termos esdrúxulos, em dialogismo do tipo polêmica oculta antecipada,[35] Drummond lhe dá um "piparote": não somente estas, mas todas as palavras que se encontram em sua obra, deveriam constituir-lhe fonte de prazer lúdico; não apenas *jitanjáfora*[*] mas também *girafa*, não somente *canéfora*, mas também *flor*, deveriam soar-lhe como inéditas.

Além dessa função de caracterizar a poesia como linguagem inocente e verbo primigênio, que devolvem às palavras sua novidade originária, o léxico de "Isso é aquilo", ao estruturar-se como jogo-enigma, aponta para a qualidade hieroglífica da linguagem poética e seu valor de rito de iniciação. Em virtude de todas essas peculiaridades, poesia é "linpin-guapá-gempém" que, embora partindo dos signos lingüísticos, conquista a sua autonomia frente à língua como sistema normativo que rege o comércio social da palavra:

> Meu Santo Antônio de Itabira
> ou de Apicucos
> ensina-me um verso
> que seja brando e fale de amanhecer
> ....

---

* A. Reyes, "Las jitanjáforas", in *La experiencia literaria*, p.156-93. O termo é um neologismo criado por este autor para designar o uso meramente lúdico da linguagem, sem compromisso com a lógica e sem finalidade comunicativa, que "não se dirige à razão, mas sim à sensação e à fantasia" e que se situa "nas fronteiras da ecolalia". No poema de Drummond, *jitanjáfora* é ao mesmo tempo palavra encantatória e palavra técnica, sorrateira metalinguagem em sua alusão, não desprovida de humor, ao peculiar tipo de discurso do poema. Geir Campos registra o termo no seu *Pequeno dicionário de arte poética*.

e converse com a menina
como se costuma conversar com formigas
....
esses assuntos importantíssimos
que não adianta o rei escutar
porque não entende nossa linpin-guapá-gempém.
("Tríptico de Sônia Maria do Recife", VPL)

Entre as tensões que enformam a lírica moderna, ressalta a coexistência entre intelectualismo crítico e resíduos de uma interpretação mítica da linguagem. Na poesia de Drummond, que em geral a aciona em surdina, "Isso é aquilo" se distingue como execução mais ostensiva dessa dissonância. Ao mesmo tempo em que se volta sobre si mesmo em movimento de consciência lúcida dos fatores postos em jogo em sua construção, o poema se proclama como palavra mágica — *ptyx* em que ecoam concepções arcaicas da linguagem.

O mago o amanhecer

Em "Isso é aquilo" Drummond empreende sua mais radical exploração dos campos magnéticos da linguagem, à qual imprime uma impulsão autônoma, desencadeadora de alianças sonoras e enlaces semânticos que se subtraem aos processos lógicos de encadeamento.

Afinado com sua contemporaneidade, nesse como em outros aspectos antecipada pelas proposições de Novalis, "o poeta invoca o acaso",[36] cuja interferência no ato criador reconhecera e problematizara em "Aliança" (NP), e que agora amplifica em força condutora da orquestração do material lingüístico, que se vai concertando em assonâncias e ressonâncias encantatórias.

O agenciamento da semelhança de conformação fônica e rítmica como fator estruturante de combinações sintagmáticas constitui uma prática recorrente na poesia de Drummond,[37] valendo como sinal, ora mais discreto, ora mais evidente, do aproveitamento das sugestões do acaso para a progressão do discurso.

O procedimento desempenha função polivalente, gerando efeitos múltiplos, que reúnem por vezes valores contraditórios. Quando concretizado em jogos paronomásticos mais acentuados, estes compõem uma fala em que o poeta parece ceder a iniciativa às palavras, "caramujos músicos mágicos" ("Gesto e palavra", B), que obedecem ao seu próprio impulso associativo. Em alguns casos, a atualização extrema dos componentes sensíveis do signo minimiza-lhe o conteúdo ideativo e maximiza seu valor lúdico, que pode assumir uma função humorística.

Mais freqüentemente, porém, a percepção do fato lingüístico em presença — estrato fônico semelhante, estrato semântico diferente — preserva-lhe o ludismo mas confere densidade de significado às palavras em jogo, porque o receptor tem sua atenção orientada para as semelhanças e diferenças entre elas, concentrando-se na significação de cada uma. O jogo fônico funciona portanto como recurso de ênfase semântica. Além desse enriquecimento, decorrência natural do processo, registra-se um outro enriquecimento na significação, em virtude do semantismo ocasional criado pela afinidade de estrutura rítmico-fonológica.

Em todas essas gradações e variantes, que podem coexistir num único grupo sintagmático, detecta-se uma invariante de função e efeito do procedimento: ele atrai a atenção do leitor para a operação combinatória que acasalou *aquelas* palavras segundo um *pattern* peculiar, cunhado nas relações internas do material lingüístico, mostrando-se portanto como ato de linguagem.

Em sua dualidade jogo de azar-jogo de inteligência reflexiva, "Isso é aquilo" se propõe como adesão voluntária às evoluções do acaso, que Drummond "alerta, lúdico e receptivo e magnético" acompanha mas dirige, em estado de supraconsciência, integradora das faculdades noturnas e diurnas, reconciliadas na "zona lúcida do sonho". ("Sonho de um sonho", CE)

Quer a trajetória do acaso se desenvolva a partir de uma propulsão intencional, quer a intencionalidade se instale a partir da irrupção do acaso — prioridade dificilmente discernível e sem interesse para a dialética da composição — a dinâmica de "Isso é aquilo" põe em cena, com evidência até então inusitada na obra do poeta, a síntese entre vontade criadora e elaboração fortuita, que o faz definir as palavras como "servas de estranha majestade". ("A Luís Maurício, infante", FA)

"Isso é aquilo" configura-se portanto como metapoética de Drummond, na medida em que põe em jogo-foco as tensões características de sua obra e assume diante da palavra o comportamento mágico-lúdico-lúcido presente na sua poesia como totalidade. Em relação aos demais textos do poeta, "Isso é aquilo" exerce a função de um espelho, que, ao refletir, amplia, deforma e transforma as formas.

A argila o sigilo

"Isso é aquilo" cria em seu espaço relações equívocas entre as palavras, incitando o leitor à aventura de reconstituir os nexos das equações surpreendentes e estimulando-lhe o seu próprio processo de associação. É ilimitada a plurivalência do texto, que se afigura a um peculiar jogo de enigma, por abrir-se em múltiplas e livres possibilidades de resposta.

O percurso do poema, ainda que a leitura seja empreendida linearmente pelo leitor, não se faz apenas no sentido horizontal, mas se irradia em conexões verticais,[38] diagonais, próximas, remotas, em antinewtoniana gravitação poética multidirecional, em que "rola o milhão de palavras / na extrema velocidade" ("Rola mundo", RP), para desembocar em "ptyx" — metáfora estrutural da trajetória do texto, no qual as palavras vibram e ressoam, como som e signo, em instrumentação polifônica. O efeito de simultaneidade, que as vanguardas contemporâneas condicionam, em princípio, à dispersão dos signos na página, Drummond o obtém com maior economia objetiva de meios, mas que asseguram a "Isso é aquilo" (senão de direito mas de efeito) a condição de texto espacial, apesar de sua superfície oticamente regular — espacialidade instaurada por sua descentrada constelação de relações plurívocas.

No primeiro impacto, o poema parece destoar da fisionomia global da obra do autor. Sem negar-lhe o experimentalismo, nem o valor de peça única dentro do conjunto, a leitura mais detida conclui exatamente o oposto: ele radicaliza, em operação antiilusionista, as normas gerais do seu código poético. A ambigüidade, aqui elevada à mais alta potência, compõe um "sinal" do código, sendo instalada pela tática que "Isso é aquilo" extremiza para desvendar: "a germinação do poema como um todo", "a percepção imediata da estrutura em que os vocábulos podem ser ordenados", o privilegiar as palavras menos enquanto "entidades isoladas" e mais enquanto "rede que as organizará na unidade total do poema",[39] conduzem à elaboração do texto como campo de irradiação entre as palavras, que lhes ampliam os valores significativos.

Na obra de Drummond, que em seu movimento furtar-se-expandir-se configura uma poética da litotes, pela qual ele se impõe comover e convencer sem desgovernar-se em sentimentalismo e grandiloqüência, a plurivocidade funciona como "sinal de menos", que atinge um rendimento expressivo inversamente proporcional aos meios objetivados.

Além desse valor, ela se define como um dos fatores de construção do espaço poético autônomo, por este "sinal" diferenciado do espaço da linguagem pragmática, que tende à univocidade para mais eficazmente preencher sua função comunicativa intra-social.

Em "Isso é aquilo" a plurivocidade assume ainda um caráter lúdico e em determinadas equações semelhantes a enigmas sem chave consubstancia uma atitude irônica em relação aos preconceitos lógicos do leitor, que o levam a querer decifrar por vias racionais o sentido oculto de associações propostas como *non-sens* e absurdos lúdicos — atitude paralela à de intitular "Pequeno mistério policial ou a morte pela gramática" um poema de sintaxe tortuosa e de significação hermética, em ironia com o leitor, mas sobretudo consigo próprio, característica da ambivalência do ironista romântico em relação à própria obra.

Imagens da nova desordem: a coincidência dos opostos

Operando a conversão do nível material em nível representativo, "Isso é aquilo" auto-referencia o princípio básico que preside a seu metaforismo. Centralizadora do conteúdo significativo, a estrutura do texto informa que as dez séries de equações poderiam prolongar-se até o esgotamento das possibilidades combinatórias oferecidas pelos dicionários, e que tudo é igualável a tudo. A lei estabelecida pela transfusão metafórica do poema se fundamenta na radical liberdade do espírito de aproximar todas as formas.

Como resultado da combinação do que não costuma ser combinado, emerge de "Isso é aquilo" uma "ordem nova ou nova desordem" ("A Luís Maurício infante", FA), que responde dialeticamente à satisfação de dois anseios. Um deles visa a conferir à poesia um estatuto ontológico próprio, que a erija como entidade em si mesma válida, independente de sua mensuração realística com o mundo dos objetos. Liberados de quaisquer leis que não as imanentemente determinadas no seu próprio discurso, os poemas de Drummond proclamam tacitamente que nenhum outro metro serve para medi-los senão o pautado nas relações internas do material lingüístico, em seus múltiplos níveis. Essa escala de valores, que se vai tecendo intratextualmente pela dinâmica da composição, realiza-lhes o ideal de atingir o grau máximo das purezas do branco que os aproxime do discurso musical, entendendo-se por musicalidade no discurso poético não só os jogos sonoros e rítmicos com a textura física das palavras, mas também "uma vibração dos conteúdos intelectuais da poesia e de suas tensões abstratas, mais fácil de captar para o ouvido interno".[40]

A "nova desordem" instalada no espaço do texto preenche outro anseio, que convive com o anterior como verso e reverso da mesma moeda: contestar a pretensa lógica do real, instituída por preconceitos racionais e por uma percepção sedimentada, rotineiramente imobilizada nos dados imediatos e impermeável à ambigüidade do existente. Questionando a correspondência entre o real oculto e a sua face aparente, ela se afirma como soberania do espírito diante da realidade opressoramente codificada: "imagina o rei com suas angústias, o pobre com seus diademas / [...] / o namorado, com seu espelho mágico". ("A Luís Maurício, infante", FA)

A organização dos blocos de correspondências de "Isso é aquilo" informa, em seguida, que o livre dinamismo do espírito se exerce com mais plenitude quando torna equivalentes realidades remotas, o que implica, via de regra, a fusão de categorias contrárias. A ordem do texto destrói, em desafio permanente, a ordem constituída pela percepção imediata dos sentidos, pela arrumação lógica do real — que o dispõe em classes analiticamente diferenciadas — e pelo bom-senso instaurador de hierarquias entre os objetos. No processo metafórico de "Isso é aquilo" se radicaliza a concepção drummondiana de poesia obliquamente veiculada em "Canto ao homem do povo Charlie Chaplin" (RP): linguagem transgressora da "lógica" e "seus frios privilégios" e criadora de "artes não burguesas".

O poema, "orquídea antieuclidiana" ("Áporo", RP), violenta as relações espaciais, nivelando o terrestre e o celeste (a galáxia a gloxínia); infringe as leis físicas, igualando ao leve o pesado (o chumbo o nelumbo), e equiparando grandezas diferentes (a cárie a intempérie); interpenetra as dimensões de espaço e tempo (o só o sambaqui); aproxima contextos histórico-culturais longínquos (a nênia o nylon); casa o concreto com o abstrato (o arroz o horror); confunde os reinos animal, vegetal e mineral (a víbora o heléboro; o chumbo o nelumbo); instila afinidades entre setores de conhecimento e experiência distantes (a erisipela a elipse; o *know-how* o nocaute); intercomunica o âmbito da natureza e o âmbito da cultura, em suas diversificadas manifestações, sociais, políticas, literárias, científicas, artísticas (o mendigo a mandrágora; a tâmara a Câmara; a flor a canéfora; a girafa a jitanjáfora; o coturno o estorno).

Rebelde a toda hierarquização de palavras e objetos, o texto harmoniza primigênias forças líricas — estrelas, plantas, flores, pássaros — com produtos da tecnologia (a fórmica a fúcsia, o plátano o plástico, o radar o nácar); enlaça ao exótico o trivial e o útil ao gratuito (o colubiazol o gazel); combina o sagrado com o profano (as endoenças os antibióticos) e o tradicionalmente poético com o prosaico (a ave o mocotó).

Ainda que se descodifique "Isso é aquilo" a partir de sua constelação de referências a uma totalidade cultural, a um vasto painel da realidade — mundo sensível, áreas específicas de conhecimento, acervo da tradição e novidades da ciência e tecnologia — Drummond dinamita o painel ao representá-lo no poema, e com os seus fragmentos constrói um *puzzle* supra-real, que já não pode ser manipulado como transposição figurativa daquela realidade. A imagem gerada pela conversão mútua de referências discordantes impede o trânsito entre o espaço do poema e o espaço do real, e se desenha como elaboração pura do espírito e auto-suficiente ato de linguagem. Comprometendo o valor de realidade dos objetos, as metáforas ressaltam a sua condição de metáforas, ou seja, de produto da fantasia criadora e da operação com as palavras, dissolvendo *as impurezas do branco* em favor da dinâmica da composição.

A ironia existente no poema quando encarado em sua intratextualidade reativa-se quando se percebe o seu diálogo com os demais poemas de *Reunião*. Pondo em foco um sinal recorrente na combinatória imagística de Drummond, ele brinca com o efeito surpreendente e mesmo desconcertante provocado por suas associações, em lembrete oculto ao leitor de que o insólito de suas metáforas, se mais ostensivamente nele percebido, constitui uma regra do jogo poético do autor. Lembrete tácito que cumpre a função de recuperar o que escapou a uma leitura mais atenta à informação semântica do que à informação poética, desequilibradamente privilegiadora da função representativa em detrimento da dinâmica da criação. "Isso é aquilo" retifica e orienta a leitura da poesia de Drummond, tornando-a mais consciente dos fatores de elaboração do discurso poético. Nesse sentido desempenha uma das funções do antiilusionismo irônico, valorizado por Jean Paul Richter, que diz ao leitor estar menos interessado em dar-lhe um prazer do que em ensiná-lo a ter um.

Apesar de seu efeito de choque, as metáforas de "Isso é aquilo" coincidem com o "sinal" que enforma o permanente jogo imagístico de Drummond. Elas o acionam com potência ambivalente ilusionista-antiilusionista, iluminam as outras e desentortam o ouvido torto do leitor (cf. "Explicação", AP).

A estratégia desse jogo, que se desdobrará em táticas diversificadas, incide no deslocamento dos objetos de seu contexto habitual, de forma a promover a convergência de categorias objetiva e/ou culturalmente divergentes. Drummond desordena a costumeira ordenação dos objetos para reordená-los segundo uma ordem mais consonante com o anseio de liberdade do espírito e com sua aspiração "a um mundo mais poético onde o amor reagrupa as formas naturais" ("O elefante, RP) — formas dispersadas e isoladas em categorias disjuntivas pela percepção analítica e formalização lógica do real. Estas, por privilegiarem as diferenças, detalhes e dualidades, não penetram no "mistério em torno de seu núcleo" ("Canto órfico", FA), onde radica a unidade indivisa originária do cosmo.

Criação intrínseca do espírito, as imagens de Drummond constroem para a poesia um espaço de liberdade, onde se canta em rebeldia a um mundo de hábitos e onde convivem todos os opostos. Vai mais longe, no entanto, a sua significação.

Mobilizada pelo pensamento mítico nas cosmogonias que explicam a criação pela fragmentação de um todo indistinto primordial, dramatizada pela Alemanha romântica, que fez da unidade a categoria básica de seu *organon* cultural, jogada pelo surrealismo com o alvo de descobrir no espírito o lugar em que todos os possíveis convivam sem se excluírem e acionada por Drummond como elemento fundador e dinamizador das imagens de "Isso é aquilo",

> a *coincidentia oppositorum* revelam a nostalgia de um paraíso perdido, a nostalgia de um estado paradoxal em que os contrários coexistem e onde a multiplicidade compõe os aspectos de uma misteriosa unidade.[41]

NOSTALGIA E UTOPIA DO VERSO UNIVERSO

O Orfeu dividido

A fragmentação da consciência, dilacerada em dicotomias, a "catástrofe esquizóide"[42] provocada pela ruptura da integração original do homem no mundo, a nostalgia da unidade perdida e o anseio de recuperá-la são dados constitutivos da literatura ocidental contemporânea. Com maior ou menor assiduidade, freqüentam a poesia do século XX; a individuação dos poetas depende, portanto, menos da simples presença desses dados e mais do grau com que se manifestam e, sobretudo, da feição própria que assumem em cada um.

Na obra de Carlos Drummond de Andrade eles adquirem especial relevância, por se configurarem como uma de suas obsessões, por apresentarem múltiplas faces e por atingirem acentos de particular dramaticidade. Se nem sempre afloram à superfície do texto e nem sempre, portanto, explicitam-se como tema ou motivo do discurso poético, compõem no entanto o substrato de sua poesia e se deixam perceber como fatores que desencadeiam vários dos dilemas e inquietações que a problematizam.

A dissociação da consciência ganha modulações diversas na poesia de Drummond. Dois poemas, porém, destacam-se pela radical polaridade entre si quanto ao tratamento do tema e quanto aos padrões discursivos em que ele se desenvolve, ilustrando o gosto do poeta por oposições extremas. "Cerâmica" (LC), breve texto à maneira de notação, concretiza a tendência drummondiana de, em fala simples e acessível, propor uma reflexão existencial a partir de objetos e situações do dia-a-dia da realidade imediata: "Os cacos da vida, colados, / formam uma estranha xícara. //Sem uso, / ela nos espia do aparador."

"Canto órfico" (FA) empreende uma vasta e complexa meditação, em registro nobre e solene, sobre a condição do poeta no mundo contemporâneo:

> A dança já não soa,
> a música deixou de ser palavra,
> o cântico se alongou do movimento.
> Orfeu, dividido, anda à procura
> dessa unidade áurea que perdemos.

Ao longo do poema, o polissêmico termo "dividido" vai-se desdobrando em nuanças várias de significação. No contexto dessa primeira estrofe, alude inicialmente à separação das três artes — poesia, música, dança — que originariamente integravam-se num todo. Essa experiência histórica e cultural de fragmentação, evocada em tonalidade elegíaca na abertura do poema, repercutiu como perda e trauma na consciência e sensibilidade da poesia moderna. Tais conotações parecem vigorar mesmo quando a separação é referida em prosa ensaística, como nas seguintes considerações de Octavio Paz sobre o estatuto do leitor e do poeta na sociedade moderna:

> [...] a poesia, em vez de ser algo que se diz e se ouve, converteu-se em algo que se escreve e se lê [...] a poesia entra pelos olhos, não pelos ouvidos. E além do mais lemos para nós mesmos, em silêncio. Passagem do ato púbico para o privado: a experiência se torna solitária.[43]

Em sua acepção literal, mas investida de conteúdo simbólico, "dividido" remete ao despedaçamento de Orfeu pelas bacantes, mencionado nos versos:

> Orfeu, reúne-te! chama teus dispersos
> e comovidos membros naturais,
> e límpido reinaugura
> o ritmo suficiente [...]

No contexto global do poema, "dividido" metaforiza a distância que separa o homem e o poeta modernos da natureza e do cosmo, nos quais não mais se sentem integrados, o que os torna "estrangeiros mais que estranhos" (v.24). O termo aponta ainda para a cisão da consciência moderna, incapaz de conciliar as oposições em que se debate, e para o sentimento de exclusão e de marginalização do poeta na cultura contemporânea (cf. "Legado", CE: "Esses monstros atuais, não os cativa Orfeu, /a vagar, taciturno, entre o talvez e o se").

Em sua "agonia moderna", o Orfeu presente invoca o Orfeu mítico e sua "prístina ciência" da unidade cósmica, latente nos contrários aparentes do real:

> Orfeu, dá-nos teu número
> de ouro, entre aparências
> que vão do vão granito à linfa irônica.

O Orfeu moderno dividido aspira à recuperação da totalidade indiferenciada pré-cosmogônica, plenitude que contém todas as virtualidades, "oceanos de nada" ("Eterno", FA) prestes a criar todos os possíveis diferenciados; estes, ao se realizarem como formas heterogêneas, compreendem uma homogeneidade virtual, em função de uma origem comum no mesmo núcleo.

Inapreensível no plano do real pela consciência moderna fragmentada em dicotomias, essa unidade é resgatada simbolicamente pela palavra mágica da poesia, rito de reintegração no todo primordial:

> Integra-nos, Orfeu, noutra mais densa
> atmosfera do verso antes do canto,
> do verso universo, latejante
> no primeiro silêncio,
> promessa de homem, contorno ainda improvável
> de deuses a nascer, clara suspeita
> de luz no céu sem pássaros,
> ....
> Orfeu, que te chamamos, baixa ao tempo
> e escuta:
> só de ousar-se teu nome, já respira
> a rosa trismegista, aberta ao mundo.

A cisão da consciência e suas várias implicações se situam no cerne da teoria da ironia romântica. No movimento de pensar-se a si mesmo em confronto com a Antigüidade, o século XVIII alemão aponta como signo do homem moderno a consciência de sua separação ontológica e sua decorrente dilaceração interior, desconhecidas da consciência grega integrada no universo, propensa à harmonia e infensa à contradição, por sua "ingenuidade" das dissonâncias entre o Eu e o não-Eu, e da dicotomia entre o mundo sensível e o espiritual.

Dessa antinomia nuclear entre consciência íntegra e consciência dividida se irradiam outras oposições. A.W. Schlegel identifica a poesia antiga com a da posse e do presente, enquanto a moderna, continuamente movendo-se entre recordação e pressentimento, tinge-se de saudade e anseio.[44] Aos românticos conscientes de sua cisão interna torna-se inacessível o ideal de harmonia natural que atribuíam aos gregos, a cujo "instinto genial do paraíso" contrapõem o seu sentimento de queda e ruptura, sinais de uma crise que inicia uma nova fase na história da cultura ocidental. A sua poesia se centra na nostalgia da integridade e inocência perdidas e na aspiração a recobrá-las pela reconciliação dos dois mundos em que se sentem polarizados.

A crise da modernidade diagnosticada pelo Romantismo alemão se reafirmaria e se aguçaria na literatura posterior, que dele recebeu como legado a consciência da fragmentação, gradativamente intensificada por um contexto ideológico alimentador de conflitos, e dele perdeu a visão místico-religiosa da natureza e do real. Essa dinâmica ganho-perda estrutura a lírica contemporânea como "romantismo desromantizado".[45]

Na poesia de Drummond, o anseio de regressão à totalidade indistinta e indivisa precedente à criação e à contradição expressa-se ainda, em outra clave semântico-estilística, em "Canto negro" (CE) e sua nostalgia da inocência e liberdade partidas pela diferenciação do real em categorias opostas. E a "Idade madura" (RP) implica a gaia ciência de que uma forma de vida só se realiza com plenitude quando se assume como existência virtual de todas as outras e pressupõe a recomposição da consciência íntegra, unificadora dos contrários e propiciadora da fusão com a totalidade:

Lúcido cavalo
com substância de anjo
circula através de mim.
Sou varado pela noite, atravesso os lagos frios,
absorvo epopéia e carne,
bebo tudo,
desfaço tudo,
torno a criar, a esquecer-me:
durmo agora, recomeço ontem.

"Canto esponjoso" (NP) supera a "imporosidade" do Orfeu moderno pela experiência do sentimento "oceânico", expressão cunhada por Freud para classificar a redução da multiplicidade em unidade característica da vivência religiosa, na qual o místico tem a sensação de formarem, ele e o universo, um só ser. O sentimento oceânico, que Anton Ehrenzweig[46] não considera privativo da experiência religiosa, mas extensível à experiência criadora, dissolve os limites da individualidade, a qual, liberada da consciência da separação, absorve o todo em que imerge:

Umidade de areia adere ao pé.
Engulo o mar, que me engole.
....
Bela
a passagem do corpo, sua fusão
no corpo geral do mundo.

Vontade de cantar. Mas tão absoluta
que me calo, repleto.

A constelação de espaços livres

A integração na unidade, se vivida apenas simbolicamente pelo homem e sua consciência cindida e somente em momentos excepcionais, constitui, no imaginário de Drummond, a rotina da criança, inocente ainda da queda na diferenciação:

> [...] Medita, por exemplo, as ervas,
> enquanto és pequeno e teu instinto, solerte, festivamente
> [se aventura
> até o âmago das coisas [...] E imagina ser pensado
> pela erva que pensas. Imagina um elo, uma afeição
> [surda, um passado
> articulando os bichos e suas visões, o mundo e seus
> [problemas
> ("A Luís Maurício, infante", FA)

O texto drummondiano, em processo de elaboração imanente de significação, gera a homologia entre o tempo pré-cosmogônico e o tempo da infância, ambos representando o *in illo tempore* primordial, anterior à ruptura da unidade e à dissociação da consciência. A nostalgia da unidade perdida propõe a criação de uma linguagem ritualística (cf. "linpin-guapá-gempém" – "Tríptico de Sônia Maria do Recife", VPL), que empreenda a recuperação simbólica da indivisão originária, inacessível ao homem no espaço social profano por seu afastamento da natureza e repressão pela cultura, que o condiciona a dicotomizar o real em oposições irreconciliáveis.

O anseio de redescobrir um nexo entre as coisas díspares do "mundo desintegrado" e de assim resgatar simbolicamente a unidade perdida não ocorre na poesia de Drummond apenas como tema do qual ela fala; ele se entranha na sua *praxis* poética e se entremostra no que ela faz, deixando-se perceber na própria escolha dos signos que o concretizam. O empenho de restauração simbólica da consciência fragmentada, por exemplo, é representado por signos-emblemas que a razão comum consideraria dissonantes entre si: a prosaica "xícara" de "cacos" [...] "colados"; o Orfeu mítico, de prestígio e aura na tradição; o vagabundo Carlitos, detentor de surpreendente unidade em "Canto ao homem do povo Charlie Chaplin" (RP), o precário *elefante* em que se disfarça o poeta. Assim, mais do que falar sobre a fusão do heterogêneo e sobre a síntese dos contrários, Drummond realiza na poesia um rito de reunificação.

O poema-*elefante* se constrói como apelo de reintegração na natureza e na infância a um "mundo enfastiado / que já não crê nos bichos / e duvida das coisas". Se a criança se adentra "até o âmago das coisas", se Orfeu decifra "o mistério / em torno de seu núcleo", o poeta-*elefante* penetra no cerne oculto da totalidade cósmica ("no mais profundo oceano / sob a raiz das árvores / ou no seio das conchas") em busca de apreender-lhe os "segredos", inexplicados pela cultura de base racionalista e só desvendados pelo retorno ao diálogo com "o vento, as folhas, a formiga".

O discurso do *elefante* drummondiano é portador, em sua coexistência de contrários, da mesma "unidade estranha" do personagem chapliniano; e o atributo que a este conferirá Drummond em "A Carlito" (LC) — "errante poeta desengonçado" — pulsa latente na caracterização do elefante:

> Ei-lo, massa imponente
> e frágil, que se abana
> ....
> mas não o querem ver
> nem mesmo para rir
> da cauda que ameaça
> deixá-lo ir sozinho.
> É todo graça, embora
> as pernas não ajudem
> e seu ventre balofo
> se arrisque a desabar
> ao mais leve empurrão.
> Mostra com elegância
> sua mínima vida,
> ....
> o passo desastrado
> mas faminto e tocante.
> ("O elefante", RP)

Ultrapassando a experiência da dualidade unívoca do isso *ou* aquilo das categorias lógicas redutoras do movimento do espírito, e recobrando o estado de liberdade e paradoxo que articula os opostos como aspectos complementares de uma realidade única — "Isso *é* aquilo" — as configurações do espaço poético se assemelham, no imaginário do autor, às configurações do espaço onírico:

> Sonhei que os entes cativos
> dessa livre disciplina
> plenamente floresciam
> permutando no universo
> uma dileta substância
> e um desejo apaziguado
> de ser um com ser milhares
> ("Sonho de um sonho", CE)

(Na intertextualidade de *Reunião* "Isso é aquilo" realiza, no nível da estruturação do discurso, o "Sonho de um sonho".)

Lugar de concentração da *coincidentia oppositorum*, "Isso é aquilo" se situa no Texto de Drummond como restauração poética mais radical da unidade indistinta originária. Litania de fórmulas mágicas, o poema opera a contínua metamorfose dos objetos, volatizando-lhes as diferenças manifestas para desvelar-lhes o incessante vir-a-ser de possíveis. O Orfeu moderno preenche o vazio da nostalgia do todo primordial — este é recobrado no "verso universo" abrangedor de contrários, dinamizados em infinita progressão para a síntese totalizadora. O mago manipula o sem-limite das contradições e recupera simbolicamente a infinita plenitude do caos, na sua mais audaciosa, complexa e completa demonstração da ironia romântica:

> [...] uma síntese absoluta de antíteses absolutas, a incessante e autocriadora alternância de dois pensamentos contraditórios. [...] A ironia é a clara consciência da eterna agilidade, da infinita plenitude do Caos.[47]

Um dos modelos da *coincidentia oppositorum* de "Isso é aquilo" consiste na fusão das categorias sensível-espiritual e natureza-cultura. Constituindo um "sinal" privilegiado do espaço poético de Drummond, essa fusão configura igualmente o espaço da infância ("Casa" e "Litania da horta", B), funcionando como signo de consciência "ingênua" da ruptura da unidade.

Em processo de elaboração de significações tecido no interior de seu próprio sistema, a poesia de Drummond articula a série paradigmática: espaço poético-espaço caótico-espaço onírico-espaço da infância. O elemento fundador da homologia se extrai das relações imanentes ao discurso — todos se definem como espaços de liberdade, abertos aos contrários, e nos quais se desconhece ou se transcende simbolicamente a experiência da dualidade.

A esses espaços de unidade e abertura, o Texto drummondiano contrapõe a estreiteza e fragmentação da realidade histórica presente (cf. "estreito rio", "mundo pulverizado", "coração pulverizado", "homens partidos" e "interditos", "gente cortada").

O movimento de recuperação da "unidade áurea" se processa em duas direções, o retorno às origens e a projeção para o futuro — nostalgia e utopia, que Hegel interpretava como raiz da ironia romântica. A série paradigmática criada pelo discurso de Drummond se amplia com o espaço utópico, que com ela se articula pelo "sublime arrolamento de contrários / enlaçados por fim". ("Contemplação no banco", CE)

O espaço interdito do real é reaberto pela poesia, linguagem de magia lúcida, que resgata a infância ancestral e constrói a idade áurea de reintegração da multiplicidade na unidade — aspiração maior da ironia romântico-moderna de Drummond:

> Nos áureos tempos
> que dormem no chão,
> prestes a acordar,
> tento descobrir
> caminhos de longe,
> os rios primeiros
> e certa confiança
> e extrema poesia.
> ....
> Nos áureos tempos
> devolve-se a infância

a troco de nada
e o espaço reaberto
deixará passar
os menores homens,
as coisas mais frágeis,
uma agulha, a viagem,
a tinta da boca,
deixará passar
o óleo das coisas,
deixará passar
a relva dos sábados,
deixará passar
minha namorada,
deixará passar
o cão paralítico,
deixará passar
o círculo da água
refletindo o rosto...
Deixará passar
a matéria fosca,
mesmo assim prendendo-a
nos áureos tempos.

("Nos áureos tempos", RP)

Farewell: a discreta despedida

O poema de abertura de *Farewell* retoma o tema da "unidade do mundo", recorrente na poesia de Drummond. Retoma-o, no entanto, em inédito diapasão: não mais eufórica aspiração utópica ou evocação de um bem perdido, como em poemas anteriores, e sim constatação melancólica mas serena de um mal sempre presente no universo — o sofrimento, que nivela e assimila os três reinos da natureza; não o espaço do mito, mas o espaço do real imediato; não mais a "prístina ciência" de Orfeu, a poucos transmissível, mas o saber empírico de Carlos, apreensível pelo homem comum. No plano da expressão, "Unidade" também dá as costas aos *patterns* que o tema assumira no passado do poeta, rejeitando a linguagem nobre e a dicção hierática de "Canto órfico" (FA), a vertigem metafórica e o ludismo encantatório de "Isso é aquilo" (LC), e o discurso em certo grau hermético que caracteriza ambos os poemas. Distingue-se, ao contrário, pelo despojamento, pela clareza e acessibilidade do discurso, pelo tom de conversa em voz baixa.

O poema-pórtico do livro dá a tônica dos textos que a ele se seguem: lirismo assurdinado, que tem como ideal estético a conquista de um efeito de naturalidade, e de tal forma límpido que poderia dar a impressão de subverter a concepção de poesia como discurso cifrado, similar ao do enigma, proposta no passado com a fingida ingenuidade do humor na fórmula "linpin-guapá-gempém", de "Tríptico de Sônia Maria do Recife (VPL).

Como sugere o próprio título, o tema dominante de *Farewell* é a morte e, com ele associado, o envelhecimento. Há longo tempo freqüentam a poesia de Drummond, que diz em 1945: "Há muito suspeitei o velho em mim." ("Versos à boca da noite", RP) E um soneto de *Fazendeiro do ar* (1954), "Habilitação para a noite", vale como síntese metafórica da atitude do poeta no percurso de sua obra, na qual realiza uma constante "habilitação" para a morte, de tanto que a faz motivo de exploração e reflexão. Esses temas antigos reaparecem, porém, em feição e dicção diversas das que predominantemente os distinguiram no passado. Invocando-se a autocaracterização da poesia de Drummond como urdidura de "jogo" e "confissão" ("Poema-orelha", VPL), pode-se dizer que, se os poemas anteriores produzem o efeito de manter o equilíbrio entre os dois termos da polaridade, agora a tensão entre eles como que se distende, atenuada por uma poética que, por ser o "jogo" de tal forma sóbrio e discreto, parece privilegiar a "confissão". Poemas antigos como "Versos à boca da noite" (RP), "Os últimos dias" (RP), "Elegia" (FA), "Indicações" (RP) compartilham uma prática discursiva de impacto imediato, enquanto os poemas de *Farewell* de modo geral vão penetrando aos poucos na sensibilidade do leitor.

O envelhecimento e suas seqüelas, o sentimento de despedida iminente, a morte anunciada contaminam o tema do amor, que rima virtualmente com "horror", termo que aparece em três textos e que é a palavra final do belo "A carne envilecida". Último livro organizado em vida pelo poeta, *Farewell* é traspassado pela apreensão trágica da vida e do mundo. Ela se configura na insistência desse sentimento de "horror", reiteradamente experimentado pelo sujeito poético, e compartilhado pelo leitor quando vê exposta de forma tão crua a miserabilidade da condição humana, da qual "Restos" é o exemplo mais aterrorizante. (Lembre-se que o horror é uma das paixões mobilizadas pela tragédia.) Em "Arte em exposição", o dístico-comentário do quadro de Munch desloca para a natureza o grito emitido pela figura humana, dele fazendo mais que um signo de angústia individual e da espécie — converte-o em signo de dor da própria totalidade do real, como se o sofrimento do homem, à semelhança da culpa trágica, se alastrasse pelo cosmo como peste. Essa leitura do quadro de Munch evoca, em outra clave, a reflexão drummondiana de "Um boi vê os homens", em que os "sons absurdos e agônicos" proferidos pelo homem "se despedaçam e tombam no campo / como pedras aflitas e queimam a erva e a água". Em "O grito", a "natureza" é qualificada de "apavorante", termo que ratifica, modulando-o, o "horror" que caracteriza a reação do ser humano quando em confronto com o mundo. A reativação do sintagma estratificado *A tarde cai* desdobra-se em reflexão sobre a situação existencial do homem, condenado à "queda" trágica. E a conclusão de "Elegia a um tucano morto" — "pois para isto vieste: para a inutilidade de nascer" — aponta para uma concepção trágica da vida, homóloga à exposta pelo sábio Sileno (e referendada por Nietzsche), quando considera que o bem supremo seria não haver nascido.

Ainda que o ceticismo, o sentimento de desencanto, a tendência niilista e a perspectiva pessimista constituam os seus acentos dominantes, *Farewell* não é um livro-despedida unívoco nem monocorde. Coerente com a trajetória de Drummond, nele coexistem os opostos e instala-se a ambigüidade. O que diz um poema, outro contradiz, como ocorre no dissonante diálogo entre "Restos" e sua medonha antecipação da morte e decomposição, e "Reinauguração" e seu valor de rito de renovação e esperança — discordância esta amplificada pela disposição dos dois textos em seqüência imediata; à sedução do "vácuo" de "Sono limpo" e à aferição negativa da existência de "Elegia a um tucano morto" contrapõe-se a celebração da vida e da alegria em "Diante de uma criança"; em "A grande dor da cousas que passaram", a contemplação de um antigo retrato da amada "em doçura converte o próprio horror" e faz reflorescerem as "flores calcinadas" de "A carne envilecida". Avesso (como sempre) a perspectivas unilaterais, Drummond cria o paradoxo no interior de um único texto, como ocorre em "Aparição amorosa" ("Tua visita ardente me consola. / Tua visita ardente me desola").

O gosto da dissonância manifesta-se também no plano da expressão, no qual se trava o embate de dicções divergentes. Confronte-se, por exemplo, a partir dos próprios títulos, o registro dolorido, grave e nobre de "A carne envilecida" com o registro dessacralizante, brincalhão e coloquial de "Fora de hora": "O amor fora de hora / é como rolar a escada."

Categoria constante na poesia de Drummond, o humor também se faz presente em *Farewell*. Signo de liberdade do sujeito frente à morte em seu caráter de necessidade, defesa contra o sofrimento, exorcismo do horror, o humor se modula em auto-ironia quando o poeta refere-se a si mesmo como "baça pessoa" e "malvindo" e quando parodia o seu próprio discurso, como ocorre em "Glaura revivida", que evoca, em diferente clave e contexto, versos de "América" (RP) e em "Imagem, terra, memória", que espelha distorcidamente o dilema sujeito maior que o mundo-sujeito menor que o mundo. Em "Canção final", é com humor que o poeta declara seu amor à vida e dela se despede, usando-o como antídoto da hipérbole e como correção do *pathos*: "Oh! se te amei, e quanto, / quer dizer, nem tanto assim."

Drummond sai de cena com discrição. Com tanta discrição que evita a palavra adeus. Esconde-se atrás do anglicismo, intitulando de *Farewell* sua sofrida "lição de coisas".

Notas

A poética da pedra

1. C. Drummond de Andrade, *Confissões de Minas*, p.73.
2. Cf. C. Drummond de Andrade, *Uma pedra no meio do caminho*.
3. C. Drummond de Andrade, *Confissões de Minas*, p.72.

A inteligência trágica do universo

1. C. Drummond de Andrade, *Antologia poética*, p.5.
2. O presente ensaio apropriou-se da combinação sintagmática "inteligência do universo" cunhada por Drummond no poema "Versos à boca da noite" (RP).
3. C. Drummond de Andrade, *A lição do amigo*. Cartas de Mário de Andrade a Carlos Drummond de Andrade, p.238.
4. O. Paz, *Os filhos do barro*, p.67-8.
5. O. Vianna, *Populações meridionais do Brasil — Populações rurais do centro-sul*, v.1, p.49.
6. R. Peacock, *Formas da literatura dramática*, p.121.
7. E. Staiger, *Conceitos fundamentais da poética*, p.135.
8. E. Bentley, *A experiência viva do teatro*, p.39, p.138.
9. E. Staiger, op.cit., p.141.
10. Aristóteles, *Poétique*, 1452b, p.45.
11. H. Gardner, *The Art of T.S. Eliot*, p.131. Esta nota abrange as duas outras referências que se farão à possível reação do leitor.
12. Ao longo deste ensaio, explícita ou implicitamente, identificamos como aristocrática a classe dos grandes proprietários rurais, seguindo lição de C. Prado Júnior em *Formação do Brasil contemporâneo* (p.287-9). O autor aponta na pecuária do sul de Minas "uma certa democratização dos hábitos e dos costumes nas classes superiores", o que não chega no entanto a afetar a condição aristocrática e patriarcal dos senhores de terra.
13. N. Frye, *Anatomie de la critique*, p.265.
14. G. Bornheim, "Breves observações sobre o sentido e a evolução do trágico", in *O sentido e a máscara*, p.74: "... se o homem é um dos pressupostos fundamentais do trágico, outro pressuposto não menos importante é constituído pela ordem ou pelo sentido que forma o horizonte existencial do

homem. Evidentemente a natureza da ordem varia: pode ser o cosmo, os deuses, a justiça, o bem ou outros valores morais, o amor e até mesmo (e sobretudo) o sentido último da realidade."

15. A. Hauser. *História social de la literatura y el arte*, v.2, p.269.
16. Na orelha do livro *Lição de coisas*, que apresenta fortes indícios de haver sido redigida pelo próprio Drummond, ou pelo menos sob sua orientação direta, lê-se que nele "são contadas estórias vero-imaginárias, sem contudo o menor interesse do narrador pela fábula, que só o seduz por um possível significado extra-noticial".
17. Conforme G. Bornheim, op.cit., p.82: "crise não quer dizer, evidentemente, exclusão ou neutralização".
18. L. Abel, *Metateatro*, p.49. O desejo de crer e a tristeza de não crer, ainda que presentes em outros poemas, alcançam incomparável expressão em "São Francisco de Assis" de "Estampas de Vila Rica", ambos de *Claro enigma.*
19. J. de Romilly, *La tragédie grecque*, p.168.
20. N. Frye, op.cit., p.266.
21. J. de Romilly, op.cit., p.28.
22. F. Nietzsche. *La naissance de la tragédie*, p.59.
23. Aristóteles, op.cit., 1453b, p.48-9.
24. Idem.
25. A. Lesky, *A tragédia grega*, p.25.
26. N. Frye, op.cit., p.254.
27. A. Hauser, op.cit., v.2, p.270.
28. A. Lesky, op.cit., p.26.
29. Ibid., p.151.
30. R. Barthes, *Sur Racine*, p.50. Ver N. Frye, op.cit., p.180-1, 252-3. Ver M. Eliade, "Morphologie de l'élection", in *Mythes, rêves et mystères*, p.106-10.
31. J.P. Vernant e P. Vidal-Naquet. *Mito e tragédia na Grécia antiga*, p.96-7.
32. Aristóteles, op.cit., 1452a, p.44.
33. G.W.F. Hegel, *Esthétique*, v.8, p.374.
34. X. Zubiri, *Naturaleza, historia, Dios*. Apud G. Bornheim, op.cit., p.76.
35. G. Bornheim, op.cit., p.80.
36. Ibid., p.76-7.
37. Apud R. Mondolfo, *O pensamento antigo*, v.1, p.40.
38. A. Cândido, "Inquietudes na poesia de Drummond", in *Vários escritos*, p.100-2.
39. G. Bornheim, op.cit., p.78.
40. S. Kierkegaard, "Le reflet du tragique ancien sur le moderne", in *Ou bien... ou bien*, p.112.
41. G. Bornheim, op.cit., p.78.
42. Apud A. Lesky, op.cit., p.151.
43. L. Abel, op.cit., p.17: "Hubris, portanto, é uma coisa ambígua que pode levar à destruição, mas que também pode conduzir ao que na concepção de uma mente grega seria algo semelhante à graça."

44. Apud R. Mondolfo, op.cit., p.43.
45. Idem.
46. F. Nietzsche, op.cit., p.70.
47. J. Monnerot, *Les lois du tragique*, p.12.
48. Ibid., p.50.
49. Ibid., p.13.
50. A. Lesky, op.cit., p.98.
51. M. Bodkin, *Archetypal Paterns in Poetry*, p.285.
52. Consultaram-se duas edições da Bíblia: *Bíblia sagrada*, trad. Pe. João Ferreira d'Almeida; *Bíblia sagrada*, trad. Centro Bíblico de São Paulo.
53. G. Durand. *Les structures anthropologiques de l'imaginaire*, p.125-7.
54. Ibid., p.368.
55. Idem.
56. L. Abel, op.cit., p.18.
57. M. Bodkin, op.cit., p.285.
58. A. Van Den Bor, *Dicionário enciclopédico da Bíblia*, p.9.
59. Sobre a relação entre auto sacramental e tragédia, ver. N. Frye, op.cit., p.143-57.
60. M. Bodkin, op.cit., p.275.
61. L. da Câmara Cascudo, *Dicionário do folclore brasileiro*, p.673.
62. G. Durand, op.cit., p.301.
63. M. Bodkin, op.cit., p.13-25.
64. Ibid., p.19.
65. Aristóteles, op.cit., 1451a, p.41.
66. Apud A. Lesky, op.cit., p.25.
67. E. Staiger, op.cit., p.148.
68. A. Lesky, op.cit., p.29.
69. W. Benjamin, "Oedipe ou le mythe raisonnable", in *Poésie et revolution*, p.46.
70. G. Bornheim, op.cit., p.88-91.
71. Sobre o mito do paraíso como arquétipo do refúgio pré-natal e do nascimento, ver: M.C. Guhl "Le paradis ou la configuration mytique et archetypale du refuge", in J. Burgos (org.), *Le refuge II*, p.11-103.
72. F. Nietzsche, op.cit., p.28. Cf. R. Mondolfo, op.cit., p.26.
73. Ibid., p.51.

A magia lúcida

1. O. Paz, *Marcel Duchamp ou o castelo da pureza*, p.69.
2. D.C. Muecke, *The Compass of Irony*, p.182.
3. Ibid., p.185-6.
4. A. Rosenfeld, "Thomas Mann: Apolo, Hermes, Dioniso", in *Texto/Contexto*, p.197-219.

5. O. Paz, *Os filhos do barro*, p.63.
6. A. Rosenfeld, "Aspectos do Romantismo alemão", in op.cit., p.161-2.
7. A. Béguin, *L'âme romantique et le rêve*, p.XII.
8. R. Bourgeois, *L'ironie romantique*, p.11.
9. A expressão entre aspas é tradução da fórmula de Jean Ricardou em *Problèmes du nouveau roman*, p.111: "um romance é, para nós, menos a escritura de uma aventura que a aventura de uma escritura". Optou-se pela forma "escritura" em vez de escrita, para manter o ritmo, a rima e o jogo de palavras.
10. Cf. Fr. Schlegel, *Fragments*, p.169, 171.
11. Cf. D.C. Muecke, op. cit., p.11.
12. L. Tieck, "Sur le rêve et le merveilleux", in A. Guerne (org.), *Les romantiques allemands*, p.191.
13. Cf. Fr. Schlegel, op.cit., p.107: "A ironia é a forma do paradoxo. O paradoxo é tudo que é ao mesmo tempo bom e grande". D.C. Muecke, op.cit., p.159, transcreve outro fragmento que não consta das edições de Schlegel aqui adotadas: "Paradoxo é a *condição sine qua non* da ironia, sua alma, sua fonte e seu princípio".
14. L. Tieck, op.cit., p.192.
15. Cf. P. Grapin, "Les romantiques de Iena", apud R. Bourgeois, op.cit., p.16.
16. Cf. Fr. Schlegel, op.cit., p.148-9.
17. Cf. Fr. Schlegel, *Sur le Meister de Goethe*, p.44. Cf. R. Wellek, *História da crítica moderna*, v.2, p.13.
18. Cf. Fr. Schlegel, *Fragments*, p.103-4. Em nota, p.258, lê-se: "Em arte, o artista não consegue jamais realizar perfeitamente o programa projetado. A autolimitação é sua tomada de consciência das possibilidades infinitas que oferece o mundo enquanto matéria artística, e de seus próprios limites de expressão. Essa tomada de consciência se exprime através da ironia schlegeliana." D.C. Muecke, op.cit., p.195-7, também relaciona o conceito de autolimitação à consciência que deve ter o artista quanto à impossibilidade de exprimir integralmente o infinito do eu e do mundo. Nesse sentido, a consciência da autolimitação é tema recorrente na poesia de Drummond e será abordado neste estudo a propósito dos poemas "Fragilidade" (RP) e "Brinde no banquete das musas" (FA).
19. D.C. Muecke, op.cit., p.198-9. A. Rosenfeld (op.cit., p.159) diz que os românticos alemães foram comparados com razão a acróbatas e prestidigitadores dançando na corda bamba.
20. Fr. Schlegel, *Sur le Meister de Goethe*, p.44.
21. Fr. Schlegel, in: A. Guerne (org.), op.cit., p.272.
22. G. Bornheim, *Aspectos filosóficos do romantismo*, p.47.
23. G. Deleuze, *Logique du sens*, p.163.
24. G. Bornheim, op.cit., p.41.
25. C. Schuwer ("La part de Fichte dans l'esthétique romantique") aponta no entanto a possibilidade dessa confusão: "O mundo inteiro não será mais que

uma aparência, que um jogo do eu? ... Enfim, tende a estabelecer-se uma perigosa confusão entre os privilégios do eu absoluto, concebido no seu limite, e aqueles que se arroga por sua própria conta o eu individual na espécie do eu do artista."

26. A. Rosenfeld, op.cit., p.160.
27. Cf. Fr. Schlegel, *Fragments*, p.305-6, n.394. Cf. M.P. Grappin, apud René Bourgeois, op.cit., p.16.
28. Cf. Hegel, *Introduction à l'esthétique*. Paris, Aubier, 1964, p.133.
29. Cf. P. Mesnard (org.) *Kierkegaard*, p.61-8.
30. V. Jankélévitch, *L'ironie*, p.18.
31. "Um couteau sans lame, auquel manque la manche". Aforisma de Lichtemberg, valorizado por André Bréton como "obra-prima dialética do objeto".
32. A. Béguin, op.cit., p.223.
33. Cf. Novalis, *Fragments, Fragmente*, p.71: "Acontece com a linguagem o que ocorre com as fórmulas matemáticas: elas constituem um mundo em si, para si próprias; brincam exclusivamente entre si mesmas e não exprimem nada que não seja sua própria natureza maravilhosa — e é justamente isso que as faz serem tão expressivas e que nelas se reflita o estranho jogo das relações entre as coisas".
34. "Palavras que ninguém fala" é título de uma crônica de Drummond, in *Jornal do Brasil*, Rio de Janeiro, 7.12.1974, Caderno B.
35. Procedimento estudado por M. Bakhtine em *La poétique de Dostoievski*, p.255-67.
36. Novalis, op.cit., p.199. Ver ainda H. de Campos, in *Metalinguagem*, p.42: "... o admirável 'Isso é aquilo', poema-dicionário dos acasos da composição, a girar sobre si mesmo num eixo mallarmaico".
37. Cf. O.M. Garcia, *Esfinge clara. Palavra-puxa-palavra.*
38. A.R. de Sant'Anna, in *Carlos Drummond de Andrade: análise da obra*, p.230: "Essas oposições horizontais podem ser convertidas num relacionamento verticalizante."
39. A. Cândido. "Inquietudes na poesia de Drummond", in *Vários escritos*, p.118-9.
40. H. Friedrich, *Estructura de la lírica moderna*, p.215.
41. M. Eliade, *Mefistófeles y el andrógino*, p.155-6.
42. A. Rosenfeld, op.cit., p.86.
43. O. Paz, *O arco e a lira*, p.340.
44. A.W. Schlegel, *Cours de littérature dramatique*, p.28-30.
45. H. Friedrich, op.cit., p.86.
46. A. Ehrenzweig, *A ordem oculta da arte*.
47. Fr. Schlegel, "Fragments", in A. Guerne (org.) *Les romantiques allemands*.

Notas sobre os ensaios

- **"A conquista da palavra poética"** — versão revista do estudo intitulado "Apresentação de Drummond", publicado em *Literatura para o vestibular unificado*. Rio de Janeiro, Record, 1973, p.79-104.
- **"A poética da pedra"** — publicado originariamente sob o título "Carlos Drummond de Andrade: une poétique de la pierre". Paris, *Europe* 640-641, ago/set 1982, p.47-59.
- **"A inteligência trágica do universo"** — versão revista da Dissertação de Mestrado em Letras, apresentada à Faculdade de Letras da UFRJ em fevereiro de 1974. Esta dissertação, intitulada "Tragédia e ironia em *Os bens e o sangue*", constitui por sua vez o amplo desenvolvimento de um estudo de mesmo título, publicado em *Littera* n.6, set/dez 1972, p.67-77.
- **"A magia lúcida"** — versão revista de "Drummond: a magia lúcida". Tese de Livre-Docência apresentada ao Instituto de Letras da UFF e defendida em março de 1976. Um capítulo da tese, intitulado "O espaço livre da poesia", foi publicado sob o título "Carlos Drummond de Andrade: o espaço livre da poesia" em *Letterature D'America* ano III, n.13, revista trimestral. Roma, Bulzoni Editore, verão 1982.
- "***Farewell*: a discreta despedida**" — resenha publicada em *Poesia Sempre*, ano 5, n.8, junho 1997.

Bibliografia de Drummond

Poesia

Alguma poesia. Belo Horizonte, Pindorama, 1930. (Rio de Janeiro, Record, 2001)
Brejo das almas. Belo Horizonte, Os Amigos do Livro, 1934. (Rio de Janeiro, Record, 2001)
Sentimento do mundo. Rio de Janeiro, Pongetti, 1940. (Rio de Janeiro, Record, 2001)
José. Originalmente nas coletâneas *Poesias* e *José & outros*. (Rio de Janeiro, Record, 2001, 7ª ed.)
A rosa do povo. Rio de Janeiro, José Olympio, 1945. (Rio de Janeiro, Record, 1999, 23ª ed.)
Novos poemas. Originalmente nas coletâneas *Poesia até agora* e *José & outros*. (Rio de Janeiro, Record, 2001, 7ª ed.)
A mesa. Niterói, Hipocampo, 1951. (Incluído em *Claro enigma*)
Claro enigma. Rio de Janeiro, José Olympio, 1951. (Rio de Janeiro, Record, 2001, 14ª ed.)
Viola de bolso. Rio de Janeiro, Serviço de Documentação do MEC. (2ª ed.: *Viola de bolso novamente encordoada*. Rio de Janeiro, José Olympio, 1955)
Soneto da buquinagem. Rio de Janeiro, Philobiblion. (Incluído em *Viola de bolso novamente encordoada*)
Ciclo. Recife, O Gráfico Amador, 1957. (Incluído em *A vida passada a limpo*)
A vida passada a limpo. Originalmente nas coletâneas *Poemas* e *José & outros*. (Rio de Janeiro, Record, 1998, 2ª ed.)
Lição de coisas. Rio de Janeiro, José Olympio, 1962.
Viola de bolso II. Originalmente em *Obra completa*.
Versiprosa (crônicas em verso). Rio de Janeiro, José Olympio, 1967.
José & outros. Rio de Janeiro, José Olympio, 1967.
Boitempo & *A falta que ama*. Rio de Janeiro, Sabiá, 1968.
Nudez. Recife, Escola de Belas-Artes, 1968.
As impurezas do branco. Rio de Janeiro, José Olympio, 1973. (Rio de Janeiro, Record, 1998, 8ª ed.)
Menino antigo (Boitempo II). Rio de Janeiro/Brasília, José Olympio/INL, 1973. (Rio de Janeiro, Record, 1998, 4ª ed.)

Discurso de primavera e algumas sombras. Rio de Janeiro, Record, 1977; 3ª ed.: 1994.

O marginal Clorindo Gato. Rio de Janeiro, Avenir. (Incluído em *A paixão medida*)

Esquecer para lembrar (*Boitempo III*). Rio de Janeiro, José Olympio, 1979.

A paixão medida. Rio de Janeiro, José Olympio, 1980. (Rio de Janeiro, Record, 1998, 6ª ed.)

Nova reunião. Rio de Janeiro/Brasília, José Olympio/Pró-Memória/INL, 1982.

O elefante. Rio de Janeiro, Record, 1983.

Corpo. Rio de Janeiro, Record, 1984; 14ª ed.: 1998.

Amar se aprende amando. Rio de Janeiro, Record, 1985; 24ª ed.: 2001.

A senha do mundo. Rio de Janeiro, Record, 1996; 3ª ed.: 1998.

Poesia errante: derrames líricos, e outros nem tanto ou nada. Rio de Janeiro, Record, 1988; 7ª ed.: 1996.

O amor natural. Rio de Janeiro, Record, 1992.

A cor de cada um. Rio de Janeiro, Record, 1996; 3ª ed.: 1998.

Farewell. Rio de Janeiro, Record, 1996.

Edições de Poesia Reunida

Poesias. Rio de Janeiro, José Olympio, 1942.

Poesia até agora. Rio de Janeiro, José Olympio, 1948.

Fazendeiro do ar & *Poesia até agora*. Rio de Janeiro, José Olympio, 1954.

Poemas. Rio de Janeiro, José Olympio, 1959.

Antologia poética. Rio de Janeiro, Editora do Autor, 1962. (Rio de Janeiro, Record, 2001, 48ª ed.)

Obra completa, Rio de Janeiro, Nova Aguilar, 1964.

Reunião (10 livros de Poesia). Rio de Janeiro, José Olympio, 1969; 10ª ed.: 1981.

Nova reunião (19 livros de Poesia). Rio de Janeiro, José Olympio, 1982.

A palavra mágica. Seleção de Luzia de Maria. Rio de Janeiro, Record, 1997; 6ª ed.: 2000.

Obras em prosa citadas neste livro

Confissões de Minas, Rio de Janeiro, Americ-Edit, 1944.

Uma pedra no meio do caminho — Biografia de um poema. Seleção e montagem de Carlos Drummond de Andrade. Rio de Janeiro, Editora do Autor, 1967.

A lição do amigo. Cartas de Mário de Andrade. Rio de Janeiro, José Olympio, 1982. (Rio de Janeiro, Record, 1988)

Bibliografia resumida sobre Drummond

Andrade, M. "A poesia em 1930", in *Aspectos da literatura brasileira*. São Paulo, Martins/INL, 1972, 4ª ed.

Arêas, V. "O projeto poético de Carlos Drummond de Andrade", *Littera*, 6:78-86. Rio de Janeiro, 1972.

Bosi, A. "A máquina do mundo entre o símbolo e a alegoria", in *Céu, Inferno*. São Paulo, Ática, 1988.

Brayner, S. (org.). *Carlos Drummond de Andrade — Fortuna crítica*. Rio de Janeiro, Civilização Brasileira, 1978.

Campos, H. de. "Drummond, mestre de coisas", in *Metalinguagem*. Petrópolis, Vozes, 1967.

Cândido, A. "Inquietudes na poesia de Drummond", in *Vários escritos*. São Paulo, Livraria Duas Cidades, 1970.

_____. "Poesia e ficção na autobiografia", in *A educação pela noite e outros ensaios*. São Paulo, Ática, 1985.

Castello, J.A. "Impressões de Carlos Drummond de Andrade", in *Homens e intenções*. São Paulo, Conselho Estadual de Cultura, 1959.

Chamie, M. "Ptyx, o poeta e o mundo", *O Estado de São Paulo*, 27.10.1962 (Suplemento Literário).

Coelho, J.F. *Terra e família na poesia de Carlos Drummond de Andrade*. Belém, Universidade Federal do Pará, 1973.

Ferraz, E. *Drummond: Um poeta na cidade*. Dissertação de Mestrado. Rio de Janeiro, UFRJ, Faculdade de Letras. Mimeo.

Garcia, N.S. *A criação lexical em Carlos Drummond de Andrade*. Rio de Janeiro, Editora Rio, 1977.

Garcia, O.M. *Esfinge clara*. Rio de Janeiro, São José, 1955.

Gledson, J. *Poesia e poética de Carlos Drummond de Andrade*. São Paulo, Duas Cidades, 1981.

Houaiss, A. "Introdução", in C. Drummond de Andrade. *Reunião*. Rio de Janeiro, José Olympio, 1971.

_____. *Drummond, mais seis poetas e um problema*. Rio de Janeiro, Imago, 1976.

Lima, L.C. "O princípio-corrosão na poesia de Carlos Drummond de Andrade", in *Lira e antilira*. Rio de Janeiro, Civilização Brasileira, 1968.

Lins, A. "A poesia moderna e um poeta representativo", in *Os mortos de sobrecasaca*, Rio de Janeiro, Civilização Brasileira, 1963.

Maria, L. de. *Drummond, um olhar amoroso*. Rio de Janeiro, Leo Christiano Editorial, 1998.

Martins, H. *A rima na poesia de Carlos Drummond de Andrade*. Rio de Janeiro, José Olympio, 1968.

Merquior, J.G. "Notas em função de Boitempo. (I, II)", in *A astúcia da mimese*. Rio de Janeiro/São Paulo, José Olympio/Conselho Estadual de Cultura, 1972.

_____. "A máquina do mundo de Drummond", in *A razão do poema*. Rio de Janeiro, Civilização Brasileira, 1965.

_____. *Verso universo em Drummond*. Rio de Janeiro, José Olympio, 1975.

Moraes, E. *Drummond Rima Itabira Mundo*. Rio de Janeiro, José Olympio, 1973.

Oliveira, T.C. Meireles de. *Foto vivida/eterna grafia: espaço e memória em Carlos Drummond de Andrade*. Dissertação de Mestrado em Poética. Rio de Janeiro, UFRJ, Faculdade de Letras, 1979. Mimeo.

Pignatari, D. *Contracomunicação*. São Paulo, Perspectiva, 1971.

Py, F. *Bibliografia comentada de Carlos Drummond de Andrade*. Rio de Janeiro/Brasília, José Olympio/MEC/Casa de Rui Barbosa/ INL, 1951.

Sant'Anna, A.R. de. *Carlos Drummond de Andrade: análise da obra*. Rio de Janeiro, Documentário, 1977.

Santiago, S. *Carlos Drummond de Andrade*. Col. Poetas Modernos do Brasil, Petrópolis: Vozes, 1976.

_____. "Posfácio", in C. Drummond de Andrade. *Farewell*, Rio de Janeiro, Record, 1996.

_____. "O poeta como intelectual", in *Seminário: Carlos Drummond de Andrade — 50 anos de poesia*. Belo Horizonte, Conselho Estadual de Cultura de Minas Gerais, 1981.

Schuler, D. *A dramaticidade na poesia de Drummond*. Porto Alegre, UFRGS, 1979.

Simon, I.M. *Drummond: uma poética do risco*. São Paulo, Ática, 1978.

Szklo, G.S. *As flores do mal nos jardins de Itabira. Baudelaire e Drummond*. Rio de Janeiro, Agir, 1993.

Teles, G.M. *Drummond a estilística da repetição*. Rio de Janeiro, José Olympio, 1970.

Bibliografia geral

Abel, L. *Metateatro*. Rio de Janeiro, Zahar, 1968.

Alquié, F. *Philosophie du surréalisme*. Paris, Flammarion, 1966.

Aristóteles. *Poétique*. Paris, Les Belles Lettres, 1932.

Ayler, L. *Greek Tragedy and the Modern World*. Londres, Methuen, 1964.

Bakhtine, M. *La poétique de Dostoievski*. Paris, Seuil, 1970.

Barthes, R. *Sur Racine*. Paris, Gallimard, 1967.

Baudelaire, C. *Curiosités esthétiques: L'art romantique*. Paris, Garnier, s.d.

Beguin, A. *L'âme romantique et le rêve. Essai sur le romantisme allemand et la poésie française*. Paris, José Corti, 1974.

Benjamin, W. *Poésie et révolution*, Paris, Denöel, 1971.

Bentley, E. *A experiência viva do teatro*. Rio de Janeiro, Zahar, 1967.

Bíblia sagrada. São Paulo, Editora Ave Maria, 1959, 6ª ed.

_____. Trad. Pe. João Ferreira d'Almeida. Rio de Janeiro, Sociedade Bíblica do Brasil, s.d.

Bodkin, M. *Archetypal Patterns in Poetry*. Londres, Oxford University Press, 1968.

Bornheim, G. *Aspectos filosóficos do romantismo*. PortoAlegre, INL, 1959.

_____. *O sentido e a máscara*. São Paulo, Perspectiva, 1969.

Boucher, M. "Ironie romantique", *Cahiers du Sud* 16(194):29-32. Paris, 1º sem. 1937, núm. especial.

Bourgeois, R. *L'ironie romantique*. Grenoble, Presses Universitaires, 1974.

Breton, A. *Manifestes du surréalisme*. Paris, Jean-Jacques Pauvert, 1962.

_____. *Anthologie de l'humour noir*. Paris, Jean-Jacques Pauvert, 1972.

Brooks, C. *Tragic Themes in Western Literature*. New Haven, Yale University Press, 1955.

Burgos, J. (org.). *Le refuge II*. Paris, Lettres Modernes, 1972 (Cahiers du Centre de Recherche sur l'Imaginaire, 3).

Caillois, R. "La tragédie et le principe de la personnalité", in J. Jacquot (org.), *Le théatre tragique*. Paris, Centre National de la Recherche Scientifique, 1965, vols. 1 e 2.

Camara Cascudo. *Dicionário do folclore brasileiro*. Rio de Janeiro, INL/MEC, 1962.

Campos, G. *Poesia alemã traduzida no Brasil*. Rio de Janeiro, Serviço de Documentação do MEC, 1960.

Candido, A. e G. Mello e Souza. "Introdução", in M. Bandeira, *Estrela da vida inteira*. Rio de Janeiro, José Olympio, 1973.
Cassirer, Ernst. *Linguagem e mito*. São Paulo, Perspectiva, 1972.
Chabrol, C. e L. Marin et al. "Sémiotique narrative: récits bibliques", *Langages*, 22. Paris, 1971.
Chestov, L. *La philosophie de la tragédie*. Paris, Flammarion, 1966.
De Mott, B. "The new irony: sickniks and others". *The American Scholar*, 108-19, inverno 1961-2.
Deleuze, G. *Logique du sens*. Paris, Minuit, 1969.
Denhof, M. "Rapports", *Cahiers du Sud*, 24(194):16-24. Marselha, mai-jun 1937, núm. especial ("Le romantisme allemand").
Durand, G. *Les structures anthropologiques de l'imaginaire*. Paris, Bordas, 1969.
Durozoi, G. e G. Lecherbonnier. *Le surréalisme*. Paris, Larousse, 1972.
Eco, U. *L'oeuvre ouverte*. Paris, Seuil, 1965.
Ehrenzweig, A. *A ordem oculta da arte*. Rio de Janeiro, Zahar, 1969.
Eichner, H. "Friedrich Schlegel's theory of romantic poetry", *PMLA*, LXXI, p.1018-41, dez 1956.
Eliade, M. *Mythes, rêves et mystères*. Paris, Gallimard, 1957.
_____. *Mito y realidad*. Madri, Guadarrama, 1968.
_____. *Mefistófeles y el andrógino*. Madri, Guadarrama, 1969.
Eliot, T.S. *On Poetry and Poets*. Londres, Faber and Faber, 1969. p.72-102.
Farinelli, A. *El Romanticismo en Alemania*. Buenos Aires, Argos, s.d.
Festugière, A.J. *De l'essence de la tragédie grecque*. Paris, Aubier-Montaigne, 1969.
Fichte, J.G. *A doutrina-da-ciência de 1794 e outros escritos*. Col. Os Pensadores, São Paulo, Abril Cultural, 1980.
Finkielkraut, A. "L'autobiographie et ses jeux", *Communications*, 19:155-69. Paris, 1972.
Freud, S. *Le mot d'esprit et ses rapports avec l'inconscient*. Paris, NRF, 1969.
Friedrich, H. *Estructura de la lírica moderna — De Baudelaire hasta nuestros dias*. Barcelona, Seix Barral, 1959.
_____. *Estrutura da lírica moderna*. São Paulo, Duas Cidades, 1978.
Frye, N. *Anatomie de la critique*. Paris, Gallimard, 1969.
_____. "Littérature et mythe", *Poétique*, 8. Paris, 1971.
Gardner, H. *The Art of T.S. Eliot*. Londres, Faber and Faber, 1969.
Garelli, J. *La gravitation poétique*. Paris, Mercure de France, 1966.
Guhl, M.C. "Le paradis ou la configuration mytique et archetypale du refuge", in J. Burgos (org.), *Le refuge II*. Paris, Lettres Modernes, 1972 (Cahiers du Centre de Recherche sur l'Imaginaire, 3).
Guinsburg, J. (org.). *O Romantismo*. São Paulo, Perspectiva, 1978.
Guerne, A. (org.). *Les romantiques allemands*. Paris, Desclée de Brouwer, 1956.
Hauser, A. *Historia social de la literatura y el arte*, 2 vols., Madri, Guadarrama, 1968.

Hegel, G.W.F. *Esthétique*, 10 vols., Paris, Aubier. Em especial vol.5, "L'art romantique".
Hugo, V. Préface de *Cromwell*. Paris, Alphonse Lemerre, s.d.
Huizinga, J. *Homo ludens*. Paris, Gallimard, 1951.
Immerwahr, R. "The subjectivity or objectivity of Friedrich Schlegel's poetic irony", *Germanic Review*, 26:173-91, 1951.
Jacquot, J. "La tragédie et l'espoir", in J. Jacquot (org.), *Le théatre tragique*. Paris, Centre National de la Recherche Scientifique, 1965.
Jankélévitch, V. *L'ironie*. Paris, Flammarion, 1964.
Jean, R. *La poétique du désir: Nerval, Lautréamont, Apollinaire, Eluard*. Paris, Seuil, 1974.
Kamerbeek, J.C. "Individu et norme dans Sophocle", in J. Jacquot (org.), *Le théatre tragique*. Paris, Centre National de la Recherche Scientifique, 1965.
Kierkegaard, S. "Extraits", in P. Mesnard, *Kierkegaard*, Paris, PUF, 1970.
_____. "Le reflet du tragique ancien sur le moderne", in *Ou bien... ou bien*, Paris, Gallimard.
_____. *The Concept of Irony*. Indiana, Indiana University Press, 1971.
King, J. *Tragedy in the Victorian Novel*. Londres, Cambridge University Press, 1978.
Klein, M. e J. Rivière. *Love, Hate & Reparation*. Londres, The Hogarth Press and The Institute of Psycho-analysis, 1967.
Konrad, H. *Étude sur la métaphore*. Paris, Librairie Philosophique J. Vrin, 1958.
Lacoue-Labarthe, Ph. e J.-L. Nancy. *L'absolu littéraire. Théorie de la littérature du romantisme allemand*. Paris, Seuil, 1978.
Lange, V. "Friedrich Schlegel's literary criticism", *Comparative Literature*, 7(4):289-305. Oregon, outono 1955.
Lausberg, Heinrich. *Elementos de retórica literária*. Lisboa, Fundação Calouste Gulbenkian, 1963.
Lebègue, Raymond. "Tragique et dénouement heureux dans l'ancien théatre français", in J. Jacquot (org.), *Le théatre tragique*. Paris, Centre National de la Recherche Scientifique, 1965.
Leech, C. *Tragedy*. Londres, Methuen & Co Ltd., 1969.
Lemaitre, H. *La poésie depuis Baudelaire*. Paris, Colin, 1968.
Lesky, A. *A tragédia grega*. São Paulo, Perspectiva, 1971.
Lotman, I. *Structure du texte artistique*. Paris, Gallimard, 1973.
Magritte, R. *La septième face du dé*. Milão, Fratelli Fabbri Editori, 1970.
Melo e Souza, R. "Introdução à poética da ironia", *Linha de Pesquisa*, Revista de Letras da UVA, ano I, nº1, out 2000.
Mondolfo, R. *O pensamento antigo*. São Paulo, Mestre Jou, 1966. vols. 1 e 2.
Monnerot, J. *Les lois du tragique*. Paris, PUF, 1969.
Muecke, D.C. *The Compass of Irony*. Londres, Methuen, s.d.
Myers, A. *Tragedy, a View of Life*. Nova York, Cornell University Press, 1965.
Nietzsche, F. *Le gai savoir*. Paris, Gallimard/NRF, 1950.

_____. *La naissance de la tragédie*. Paris, Gonthier, 1964.

Noiray, A. (org.). *La philosophie*. Les Dictionnaires du Savoir Moderne, Paris, Centre d'Etude et de Promotion de la Lecture, 1969.

Novalis. *Fragments Fragmente*. Paris, Aubier Montaigne, 1973.

_____. *Oeuvres complètes*. Organização, tradução e apresentação de A. Guerne. Paris, Gallimard, 1975, vol.2.

Paz, O. *Signos em rotação*. São Paulo, Perspectiva, 1972.

_____. *Marcel Duchamp ou o castelo da pureza*. Col. Elos, São Paulo, Perspectiva, 1977.

_____. *O arco e a lira*. Rio de Janeiro, Nova Fronteira, 1982.

_____. *Os filhos do barro*. Rio de Janeiro, Nova Fronteira, 1984.

Peacock, R. *Formas da literatura dramática*. Rio de Janeiro, Zahar, 1968.

Pound, E. *ABC da literatura*. São Paulo, Cultrix, 1970.

Prado Junior, C. *Formação do Brasil contemporâneo*. São Paulo, Brasiliense, 1963.

Proença, M. Cavalcanti. *Ritmo e poesia*. Rio de Janeiro, Simões, 1970.

Raymond, M. *De Baudelaire au surréalisme*. Paris, José Corti, 1966.

Reyes, A. "Las jitanjáforas", in *La experiencia literaria*. Buenos Aires, Losada, 1952.

Ricardou, Jr., *Problèmes du nouveau roman*, Paris, Seuil, 1967.

Richard, J.P. *Onze études sur la poésie moderne*. Paris, Seuil, 1964.

Richter, J.P. "Sur le trait d'esprit", *Poétique*, 15:365-406. Paris, 1973.

Romantisme. Revue de la Société d'Études Romantiques, 1-2: "L'impossible unité?". Paris, Flammarion, 1971.

Romilly, J. *La tragédie grecque*. Paris. PUF, 1970.

Ronnet, G. *Sophocle poète tragique*. Paris, De Boccard, 1969.

Root, J.G. "Stylistic irony in Thomas Mann", *Germanic Review*, XXXV:93-104, abr 1960.

Rosenfeld, A. *Texto/contexto*. São Paulo, Perspectiva, 1969.

Rosset, C. *La philosophie tragique*. Paris, PUF, 1960.

Schiller. *Poésie naïve et poésie sentimentale*. Paris, Aubier Montaigne, 1947.

_____. *Teoria da tragédia*. São Paulo, Herder, 1964.

Schlegel, A.W. *Cours de littérature dramatique*, Paris, J.J. Paschoud, 1814.

Schlegel, F. "Fragments", in A. Guerne (org.), *Les romantiques allemands*. Paris, Desclée de Brouwer, 1956.

_____. *Fragments*. Paris, José Corti, 1996.

_____. *Sur le Meister de Goethe*. Paris, Hoëbeke, 1999.

Schuwer, C. "La part de Fichte dans l'esthétique romantique", *Cahiers du Sud*, 24(194):122-32. Marselha, mai-jun 1937.

Shklovski, V. "L'art comme procedé", in T. Todorov (org.), *Théorie de la littérature*. Paris, Seuil, 1965.

Smith, P. "La nature des mythes", *Diogène*, 82:91-108. Paris, 1973.

Staiger, E. *Conceitos fundamentais da poética.* Rio de Janeiro, Tempo Brasileiro, 1969.

Szondi, P. *Poésie et poétique de l'idéalisme allemand.* Paris, Minuit, 1974.

Tieck, L. "Le voyage dans le bleu. Sur le rêve et le merveilleux", in A. Guerne (org.), *Les romantiques allemands.* Paris, Desclée du Brouwer, 1956.

Van Den Bor, A. (org.). *Dicionário enciclopédico da Bíblia.* Petrópolis, Vozes, 1971.

Vernant, J.P. e P. Vidal-Naquet. *Mito e tragédia na Grécia antiga.* São Paulo, Duas Cidades, 1972.

Vianna, O. *Populações meridionais do Brasil.* Niterói, Eduff, 1987, vol.1.

Vozes. Revista de Cultura, 1: "Tempo e utopia". Petrópolis, 1973.

Weinrich, H. "Structures narratives du mythe". *Poétique,* 1. Paris, 1970.

Wellek, R. *História da crítica moderna. O Romantismo.* São Paulo, Herder, 1967, vol.2.

Índice dos poemas citados

IMPRESSÃO E ACABAMENTO
Cromosete
GRÁFICA E EDITORA LTDA.
Rua Uhland, 307 Vila Ema
03283-000 São Paulo SP
Tel./Fax (11) 6104.1176
E-mail cromosete@uol.com.br